Mbretëreshë Teuta e Ilirisë

D1591020

Dramë nga P.I. Kapllani

2014

Library and Archives Canada Cataloguing in Publication

Kapllani, Përparim, 1966-, author
    Mbretëreshë Teuta e Ilirisë: dramë / P.I. Kapllani.

Së pari libri u botua në anglisht me titullin: Queen Teuta of Illyria,
Mississauga, Ontario: IOWI/atom, 2008.
ISBN 978-1-926926-43-8 (pbk.)

1. Teuta, Queen of the Illyrians, 3rd cent. B.C.--Drama.
2. Illyria--Drama. I. Title.

PS8621.A62M37 2014   C812'.6   C2014-905866-7
Botuar në Kanada.

Design & Layout: Roland Lelaj

"TEUTA" NË GJUHËN SHQIPE

Do të kalonin më shumë se 12 vjet që nga debutimi i parë i kësaj drame në konkursin mbarëkombëtar të dramës shqipe të organizuar nga Ministria e Kulturës së Shqipërisë. Nga 55 drama të paraqitura, "Teuta" do të kalonte tre kualifikime dhe do të renditej në 15 dramat e përzgjedhura për çmim, duke lënë pas autorë të tjerë të njohur. Në vitin 2008, do të botohej në anglisht në Kanada nga shtëpia botuese IOWI (In Our Words Inc.) dhe vetëm pas gjashtë vjetësh do të shihte dritën e botimit në gjuhën shqipe, në shtator të këtij viti, po nga IOWI, duke u bërë i pari libër që botohet në gjuhën shqipe nga një shtëpi botuese kanadeze. Botimi në shqip i kësaj drame përbën risi edhe për vetë IOWI-n dhe ndoshta mund të shërbejë si një pikënisje për botime të tjera në këtë gjuhë.

Varianti në shqip pa frikë mund të cilësohet si një libër krejt i ri, jo vetëm nga mënyra e konceptimit të konfliktit, por edhe nga plotshmëria e karaktereve. Nëse në variantin e paraqitur në konkurs dhe në versionin në anglisht, Teuta helmon Agronin për të marrë fronin (një shembull klasik shekspirian), në versionin në shqipe, Agroni helmohet nga Dhimitër Fari, i cili fut tre zana për t'i sjellë një verë të rrallë që mbreti ta provojë. Në bashkëpunim me Triteutën, Dhimitri ka si qëllim të marrë fronin, pas vdekjes së Agronit, por pengohet nga mbretëresha Teuta, e cila hipën në fron dhe i bën ballë hordhive romake. Dhimitri nuk ndalet. Ai ka në krah Triteutën, me të cilën Agroni ka patur një djalë, Pimin. Ai hidhet në krahun e romakëve dhe braktis ishullin e Farit, të cilin ua jep pa luftë atyre. Ushtria romake marshon, duke rrafshuar 230 qytete e vendbanime ilire, për t'u ndalur në portat e Lezhës, ku edhe nënshkruhet armëpushimi. Teutës i lihet vetëm një anije, ndërsa në fron

3

hipin Dhimitri dhe Triteuta, aleatët e romakëve.

Kjo dramë është diskutuar edhe në forumin amerikan *Fanatikët e Civilizimit*, ku Anthoni Kiehl, autori i portretit të Teutës, ka nxitur një debat shumë interesant rreth kësaj figure madhështore të ilirëve. Tashmë drama nuk e ka më atë ndikimin shekspirian, por është një vepër e mirëfilltë e P.I. Kapllanit, duke e kthyer karakterin e saj nga një vrasëse në një heroinë të vërtetë, që i bën ballë rrebeshit të kohës në vitin 230 p.e.s.

Kishte edhe një përpjekje nga autori për ta shkruar në dialektin geg, por në fund Kapllani vendosi ta rishkruajë në gjuhën letrare. Sipas autorit, gjuha letrare e dramës zgjeron audiencën e shikuesve, që edhe kështu siç janë, përbëjnë një numër relativisht të vogël për skenën shqiptare.

PERSONAZHET

Mbretëreshë Teuta	35 vjeç
Mbreti Agron	50 vjeç
Pimi	12 vjeç
Triteuta	40 vjeç
Dhimitër Fari	40 vjeç

Personazhe dytësore

Enkeleu, Ardiani	komandantë ilirë
Laurenti	i dërguari i Romës
Santumalus, Alvinus	komandantë romakë
Mjeku	
Kori i Zanave:	Flokëverdha, Flokëzeza, Tullacja
Ushtarë ilirë	
Ushtarë romakë	

SKENA E PARË

*P*orta kryesore është e ndërtuar në të djathtë të skenës dhe para saj
bëjnë roje dy ushtarë të Gardës me përkrenare në kokë dhe heshtat
e kryqëzuara. Flakadanët me dritën e tyre të zbehtë të japin përshtypjen se
është buzëmbrëmje vonë. Përmes dritares vërehet dielli teksa perëndon. Tri
zana futen duke kërcyer dhe formojnë në qendër të skenës një kor. Më e gjata
është një vajzë me flokë të verdhë dhe sy të kaltër. Në duar mban një kupë
kristali bosh. E dyta është një vajzë brune me flokët e bëra gërshet, e cila
mban në duar një bucelë të mbushur me verë. E treta, më e shkurtër nga të
parat është krejtësisht tullace. Në gisht ka vënë një unazë të stërmadhe floriri
me një diamant në formën e kokës së gjarpërit. Të trija janë të veshura me
dantella të mëndafshta dhe të tejdukshme. Zanat qëndrojnë para dy rojeve
të Gardës dhe fillojnë të kërcejnë, duke iu ledhatuar dy ushtarëve që ende
qëndrojnë të ngrirë në pozicionin e tyre luftarak. E para e mban me kujdes
gotën e verës lart në shenjë triumfi.

Ushtari i parë: Ku shkoni ju të trija?
Flokëverdha: Tek mbreti!
Ushtari i parë: Kthehuni mbrapsht! (*i drejton heshtën në gjoks me
vendosmëri. Maja e armës gati sa nuk shpon gjoksin e saj.
Vajza flokëverdhë bën një hap prapa e ndrojtur.*)
Flokëverdha: Ngadalë me atë heshtë. Për pak desh me çpove.
Ushtari i parë: Si erdhët ju deri këtu?
Flokëverdha: Na ka ftuar mbreti! A e shikon këtë gotë? (*i afron
gotën e kristaltë para syve*). Kjo është gota e mbretit! I

shikon këto inicialet këtu në fund? Kjo është emblema e mbretit. Ja dielli! Ja dhe dy gjarpërinjtë anash tij.

Ushtari i dytë: S'ka nevojë për shpjegime. E morëm vesh. Po ti me gërsheta ku shkon?

Flokëzeza: Edhe unë me të. Ku të shkoj vetëm? (i buzëqesh ëmbël)

Ushtari i dytë: E çfarë e ke atë bucelë në dorë?

Flokëzeza: Po bucelë është...

Ushtari i dytë: (E ndërpret me ashpërsi) E mora vesh se çfarë është! Për çfarë e ke marrë me vete?

Flokëzeza: Kam sjellë një verë shumë të rrallë për mbretin! E kam bërë nga rrushi më i mirë që gjendet në të gjithë Ilirinë. Im atë e zjeu rrushin vetë në shtëpi. I kemi hedhur erëza aq të rralla dhe ka një shije aq të mirë, sa kur ta provojë mbreti, ka për të mbetur i mahnitur.

Ushtari i parë: Mjaft! Ma jep bucelën ta shoh. Mos është edhe kjo bucelë e mbretit?

Flokëzeza: Nëse do që të gjesh shenjat e mbretit, i ke të gdhendura këtu në fund. (E ngre bucelën lart.) Ja dielli! Ja dhe dy gjarpërinjtë që e vënë në mes.

Ushtari i parë: Ka vërtet verë brenda apo ndonjë lëng me helm?

Flokëzeza: Ua, ç'është ajo që thua?! A ke dëshirë ta provoj para syve të tu?

Ushtari i dytë: Provoje!

Zana flokëverdhë i ofron gotën e kristaltë, duke e mbajtur ende në duar. Flokëzeza derdh pak verë nga bucela dhe pa e lëshuar bucelën në tokë, merr gotën dhe e vë në buzë.

Ushtari i dytë: (E urdhëron me ashpërsi) Ktheje! Pije të gjithën!

Flokëzeza e vë në buzë me delikatesë dhe e pi ngadalë. Ndërsa e kthen të gjithën, i shkel syrin ushtarit dhe fshin buzët me majën e gjuhës. Flokëzeza nxjerr një klithmë kënaqësie dhe merr gotën përsëri për ta mbushur, por Flokëverdha ia heq me forcë nga dora.

Flokëverdha: Çfarë bën ti moj? Mos luajte mendsh? Mbreti po na pret!

Flokëzeza: (E çuditur për një moment) Ah, po, mbreti!

10

Ushtari i parë:	Në rregull! Qenkësh verë e shijshme ajo që keni sjellë. Po ti tullace, çfarë ke me vete?
Tullacja:	Unë? Asgjë! *(Mbledh duart me kujdes duke mbuluar unazën!)*
Ushtari i parë:	*(E kap me forcë nga duart dhe ia hap)* S'paska gjë. Ku thatë që do të shkoni ju?
Tullacja:	*(e tulatur)* Tek mbreti!
Ushtari i parë:	Prisni këtu! Do të hyj brenda e do ta pyes! *(Ushtari i parë hyn brenda. Të trija zanat fillojnë të kërcejnë e këndojnë në kor)*
Kori:	Ne jemi tri zana të Ilirisë/ Më të ëmblat e Dardanisë, Epirit e Dalmacisë./ Ne shtijmë fall,/ Shohim të ardhmen e Teutës,/ Kësaj zonje të rëndë, /Shëmbëlltyra e më të bukurës./ Eshtë ajo që mbretin do të dashurojë/ Vetë ka për të marrë/ Fronin të mbretërojë/ Teuta do të udhëheqë /Ilirinë në luftë/ por Cezar Augusti/ Në fund do ta mundë / E kush është më trime/ E më e bukur se Teuta?/ Askush si ajo/ Nuk i fitoi luftërat.

Zanat ngushtojnë rrethin përqark ushtarit të dytë, i cili u drejton heshtën për t'i larguar. Ai nuk u beson dot syve dhe zmbrapset disi. Në skenë hyn ushtari i parë me një shprehje të gëzuar në fytyrë.

Ushtari i parë:	Lëri të hyjnë! I thashë mbretit që tri vajza i kanë sjellë një verë të rrallë për ta provuar dhe ai e dha menjëherë pëlqimin.

U bën me shenjë të hyjnë brenda. Të trija zanat hyjnë njëra pas tjetrës në skenë, disi të ndrojtura, duke parë herë herë nga ushtarët.

11

SKENA E DYTË

Pamje nga dhoma mbretërore në kështjellën e Shkodrës. Mbreti Agron dergjet në shtratin martesor. Pas tij është një dritare, përmes së cilës spektatorët mund të shikojnë muret rrethues të kështjellës.

Agroni: Oh ju zana!/ Pse vini nga ëndrra? /Lërini ato këngë trishtimi/ E me trupat tuaj më mbështillni./ Më këput mesi/ E kockat më shpojnë. /Balli po më nxeh/ E këmbët po më rëndojnë.

Kori: Lartmadhëria juaj!/"Lamtumirë" na thuaj,/ Se në gjumë të thellë/ Do të biesh brenda/ Prej dorës së asaj,/ Që s'ta merr mendja.

Agroni: O zanat e Ilirisë/ Pse ma zaptoni shtratin/ Me krahët e marrisë! Nëse kjo do të ishte/ Tradhtia e fundit/ Krah hapur ju pres/ Para gjumit!

Agroni ngrihet përgjysëm duke mbështetur bërrylat mbi shtrat

Agroni: Luftërat kundër burrave/ I kam fituar,/ Por kam humbur gjithnjë/ Kur ndeshem me një grua./ Zemra më ka lënë/ Djersët rrjedhin lumë/, Bëra dashuri/ Me fantazmat në gjumë.

Flokëverdha: Mbylli sytë, mbreti im! Tani ke për të provuar verën më të shijshme dhe më të rrallë në të gjithë botën!

Agroni: Verën më të shijshme? E ku është zier kjo verë?

Flokëzeza:	Në shtëpinë time! Bistakët e rrushit i mblodha vetë me dorë enkas për Ju, Lartmadhëri!
Agroni:	Oh, jam shumë i nderuar! Pa ma mbush një gotë!

Flokëverdha ia afron gotën Flokëzezës, e cila derdh disa pika nga bucela. Agroni e pi me fund dhe shtriqet nga kënaqësia.

Agroni:	Oh, çfarë vere! Më hidh prapë!

Flokëverdha e mbush përsëri nga bucela e Flokëzezës, ndërsa Tullacja fërkon me ndrojtje kokën e unazës. Agroni pi disa gota njëra pas tjetrës dhe dalldia e verës i bie në kokë. Mbërthen Flokëverdhën nga krahët, e cila e shtyn me delikatesë. Tullacja hap kokën e unazës dhe hedh me kujdes helmin në gotën e verës. Flokëzeza avitet gjysëm lakuriq dhe ia vë verën mbretit në buzë. Agroni e pi të gjithën dhe ngjesh fytyrën e lodhur në gjoksin e bëshëm të Flokëzezës.

Flokëzeza:	Tani nuk ka mundësi të të shpëtojë askush. Ky është fundi.
Agroni:	Po më merren mendtë! Po më vjen bota vërdallë.
Tullacja:	Tani është vonë për Ty dhe për mbretërinë tënde.
Flokëverdha:	Pa ty Iliria ka për t'u zhdukur nga faqja e dheut.
Kori:	Nuk ka për të të shpëtuar dot as hija e Hyllusit, sunduesit të parë të Ilirisë.
Tullacja:	Sikur të gjithë luftëtarët të mprehin shpatën, askush s'e shpëton dot mbretërinë dhe kurorën. (*Dëgjohen hapa që afrohen.*) Dikush po vjen! Të ikim sa më shpejt!

(Dalin njëra pas tjetrës me shpejtësi nga skena, duke parë nga të gjitha anët. Teuta hyn në dhomë dhe shikon rreth e përqark e habitur. Shikon Agronin, në gjendje gati të fikët. Merr në dorë gotën dhe bucelën, pastaj e lë përsëri mbi shtrat.)

Teuta:	Prapë ka pirë! Përsëri ndonjë orgji tjetër! (*ofshan e zemëruar*) Ufff!
Agroni:	Teutë, po vdes! (*Mbyll sytë. Teuta lë mënjanë zemërimin dhe i afrohet e shqetësuar.*)

Teuta:	Agron! Agron! Oh çfarë po më shohin sytë! (*I gjerr faqet me thonj dhe shkul flokët si e luajtur mendsh*). Pse nuk flet, Agron? Më thuaj, çfarë ka ndodhur?
Agroni:	Teuta! Po më merren mendtë. Ky është fundi.
Teuta:	Më thuaj çfarë ndodhi? Kush ishte këtu?
Agroni:	Ishin tri vajza! Më sollën një verë të rrallë për ta provuar! Më duket se më kanë helmuar!
Teuta:	Ah vdeksh, oh zot!
Agroni:	E di! E shkela!
Teuta:	Se mos është hera e parë! M'i lër duart të t'i prek. (*Ia prek duart*). Pse i ke kaq të nxehta? Po balli pse të djersitet? Oh zot, më ndihmo!
Agroni:	M'i fal mëkatet, Teutë.
Teuta:	Ah, e di unë se çfarë do ti! Të të lë të vdesësh!
Agroni:	Këtë rradhë jam keq!
Teuta:	Uff, ç'na bëre! Mos fol! Të thërrasim një mjek! Roje! (*Thërret me sytë nga porta. Hyn njëri nga rojet e Gardës.*) Mbreti është keq! Të lajmërohet një mjek të vijë sa më parë!
Ushtari:	(*Përkulet me respekt*). Menjëherë, mbretëreshë! (*Largohet me shpejtësi. Teuta i fërkon ballin dhe qan në heshtje*).
Agroni:	Dua të vdes në paqe!
Teuta:	Mos fol, se harxhon fuqi! Po pres të vijë mjeku!
Agroni:	(*Flet përçart*). Merre fronin! Në këtë mënyrë... shkoj pas traditës sonë ilire, që kur burri vdes, gruaja i zë vendin në krye të oxhakut.
Teuta:	Nuk më duhet froni! E çfarë do të bëj unë pa ty?!
Agroni:	(*Kap kokën me duar*). Ti je grua e fortë! Kush ma bëri këtë vallë? Kush donte të më hiqte qafe?!
Teuta:	(*Shikon e shqetësuar në drejtim të portës, por prej andej nuk hyn askush.*) Edhe në çastet më të fundit, ende nuk po marr vesh se çfarë po ndodh. Si është e mundur të më vdesësh kështu para syve? Nuk më besohet.
Agroni:	Teutë! Më vjen mirë që ta mësova shpatën. A e mban mend ushtrimin e fundit? Tehu i shpatës tënde më

15

çau thellë e unë për pak vdiqa. Ishte një goditje aq e fortë dhe sytë i kishe plot me një dëshirë të tërbuar, që s'mund ta quaja gjë tjetër, veçse urrejtje për armikun.

Teuta: Mos fol!

Agroni: Ti ke qenë ëndrra për cilindo princ ilir.

Teuta: E di, prandaj ti bridhje sa të mundje!

Agroni: ... e megjithatë, unë fitimtari i këtij trofeu, sa e kisha në dorë, nuk ia dita vlerën.

Teuta: Mos fol! Mundohu të qetësohesh!

Agroni: Po më merren mendtë e s'di ku jam, këtu apo në botën tjetër. Sikur ta parandjeja. Mbrëmë pashë një ëndërr.

Teuta: Çfarë ëndrre?

Agroni: Perandori Hyllus m'u shfaq para syve i veshur i tëri në ar, ndërsa fluturoi deri tek unë, duke u kapur fort në krahët e një shqiponje me dy koka. Ndaloi para këmbëve të mia e m'u lut që të shpëtoja atdheun.

Teuta: Po pastaj çfarë ndodhi? (*I ulet në gjunjë dhe i mban të dyja duart e Agronit në të sajat*).

Agroni: Hyllusi po mundohej që të më bënte të qartë rreziqet që po i kanosen Ilirisë. Tokat tona po sulmohen nga të gjitha anët. Etolët po na mbysin anijet në det dhe po ndërtojnë kolonitë e Epidamnusit në breg. E kanë rrethuar me mure të larta dhe tani po përzënë të tërë vendasit. Erdhën si miq, por nuk po ikin më.

Teuta: Po të ikësh ti, ku do ta gjejmë njeriun e duhur që mund t'i dalë zot popullit dhe vendit? A është vërtet e mundur që ti po na lë?

Agroni: (*Kthehet me mundim nga Teuta.*) Mbretëresha ime!

Teuta: A të të sjell një leckë të ftohtë ta vë mbi ballin që digjet? Çfarë do që të bëj? Pse nuk po vjen mjeku? A ka njeri që ta shpëtojë mbretin nga kjo sëmundje e rëndë?!

Agroni: Nuk ka më shpëtim. Damarët më janë ngushtuar. Fryma po më vështirësohet. Pamja po më erret ngadalë.

Teuta: Duro edhe pak! Mjeku po vjen!

Agroni: Dëshira ime e fundit është të shpëtoj mbretërinë nga pushtuesit.

16

Teuta: Mbretërinë nuk mund ta shpëtojmë dot pa ty! Qytetet e Apollonisë dhe të Bylisit, po vuajnë nën thundrën e pushtimit.

Agroni: Më jep pak forcë nga forca jote. Më jep pak zemër për t'u ngritur nga shtrati i vdekjes e t'i hipi kalit të fitores. (Rënkon)

Teuta: Po nuk u shërove ti, romakët do të marrin nën kontroll krejt detin Adriatik.

Agroni: Hip në fron, Teutë! Le t'i shpalosin velat anijet liburne. Le t'i ngrejnë flamujt dhe le të fillojë lufta. Të gjithë ju, edhe pa mua, ju pret veç fitorja.

Teuta: Bëj durim. Lajmërova që të vijë një mjek!

Agroni: E meritoj të vdes. Nuk të kam çmuar aq sa duhet. Sa ishe imja, asnjëherë s'ta dita vlerën. Kam qenë i ftohtë me ty. Të kam quajtur mushkë shterpë që nuk pjell, se ti nuk ma lindje dot trashëgimtarin e fronit. Tash zotat sjellin hakmarrje mbi kokën time. Ndoshta ishte gabim që e kërkova trashëgimtarin nga një grua tjetër! Tash biri im Pimi është e vetmja shpresë për ilirët.

Teuta: (Me nostalgji) Më vjen para syve dita e parë e martesës. Kisha kaq shumë siguri sa mendova se do të më mbaje në pëllëmbë të dorës. Por nuk ndodhi ashtu. Ti e shkele kurorën me gra të tjera. Bëre djalë me Triteutën kur e dije shumë mirë që ajo vinte nga një shtresë fare e ulët.

Agroni: Më duhej trashëgimtari. Kjo ishte e gjitha! Oh! E ndjej veten shumë të drobitur. Paskam qenë skllav i verës dhe i grave e i të gjitha pisllëqeve të tjera që ua prishin mendjen burrave. Mbretëria po shkatërrohet dhe kjo ka për të ndodhur për shkakun tim.

Teuta: Mjaft mendove kështu!

Agroni: Mos më bëj me faj Teutë, pse e desha një princ trashëgimtar. Iliria kish nevojë për një djalë tonin, por ti nuk mund të ma jepje.

Teuta: Të kuptoj!

Agroni: Nuk po them krejt ashtu, por di të them që gjithnjë të kam dashur. Ti ke qenë ëndrra ime e parë, megjithëse kam qenë i detyruar të kisha një djalë me grua tjetër. (*Agroni flet në delir*). Lëkura jote borë e bardhë, sytë plot dritë e ëmbëlsi, buzët e tua flakë si luleshtrydhe e gusha jote e butë. Luajta me pafajësinë tënde si deshta. Etjen time të nxehtë si zjarri verbues mundet ta shuajë vetëm një grua. A mundesh të më falësh? Fale burrin tënd që të ka dashur aq shumë sa askush tjetër. A mundesh të më shohësh drejt e në shpirt me atë ëmbëlsi që më ke parë gjithmonë?

Teuta: Po dëgjoj hapa! Më duket se po vjen mjeku!

Agroni: Ç'ka mund të bëj që të më falësh? Kam nevojë për ty. Afrohu, pse më largohesh ashtu? (*Fillon të vjellë. Teuta i afrohet dhe përpiqet ta ndihmojë duke i afruar një kovë dhe duke i mbajtur kokën me të dyja duart. Agroni dridhet i tëri dhe humb ndjenjat.*)

MIZANSKENË

Flokëverdha, Flokëzeza dhe Tullacja ecin ngadalë në korridorin e kështjellës. Afrohen me fshehtësi pranë dhomës ku fle princ Pimi. Djaloshi sapo është zgjuar nga gjumi dhe po vesh rrobat.

Flokëverdha: (*e veshur si shërbëtore*) E more vesh ti? Mbreti nuk ndjehet mirë!

Flokëzeza: (*përsërit qëllimisht*) Nuk është mirë? Pse çfarë ka ndodhur?

Tullacja: Dëgjova që mbreti ka pirë aq shumë verë mbrëmë, sa është duke vdekur!

Flokëzeza: Ua, ç'thua kështu moj?!

Tullacja: Kam edhe një gjë tjetër më të madhe, që e mora vesh...

Flokëverdha: Pa hë, na thuaj.

Tullacja: Mbretëresha nuk është e ëma e vërtetë e Pimit.

Flokëverdha: Po kush është?

Tullacja: Është Triteuta! Teuta nuk bënte dot fëmijë, ndaj dhe mbreti u detyrua që të ketë një trashëgimtar me grua tjetër...

(Largohen ngadalë nga skena. Pimi i ndjek me sy i habitur dhe nxiton të veshë rrobat. Është skuqur në fytyrë dhe gati sa nuk shpërthen në dënesa. Dy ushtarë ilirë i pikasin të trija vajzat dhe vrapojnë pas tyre.)

19

SKENA E TRETË

Njësoj si në skenën e parë. Salla mbretërore. Agroni gjendet në grahmat e fundit të jetës. është pa ndjenja. Teuta i rri pranë me kokën ulur. Kërcet dy gishta dhe brenda hyjnë dy rojet e Shpurës.

Teuta: Ushtarë! E dini pse ju kam thirrur?

Ushtari i parë: Jo, Shkëlqesa juaj!

Teuta: Kush u dha lejë tri vajzave të panjohura për të takuar mbretin?

Ushtari i parë: Vetë mbreti i ftoi brenda, Shkelqesa juaj!

Teuta: A mund të na japësh disa tipare të përgjithshme, se si dukeshin?

Ushtari i parë: Po zonjë! Ajo më e gjata ishte flokëverdhë. E dyta ishte disi më e shkurtër dhe kishte dy bishtaleca të zinj. E treta ishte tullace.

Teuta: Sa kohë ndenjën në dhomën e mbretit?

Ushtari i parë: Nuk e dimë kohën e saktë, por ndenjën për një kohë të gjatë, derisa erdhët ju!

Teuta: A i keni parë se nga ikën?

Ushtari i parë: Nuk i vumë re!

Teuta: Si ka mundësi?

Ushtari i dytë: Mbase kanë dalë nga porta e pasme. Rojet e natës i kanë parë pranë dhomës së Pimit dhe i kanë ndjekur mbrëmë vonë, pas mesnate. Jemi akoma në kërkim.

Teuta: Dyshohet se këto të trija kanë helmuar mbretin. Bëni

21

	sytë katër dhe mos lini asnjeri që të vijë pa dijeninë tonë.
Ushtari i dytë:	Si urdhëron, zonjë!
Teuta:	Mund të largoheni! (*Ushtarët dalin. Teuta flet me vete.*) Nuk e di si do të shpëtojmë nga kjo rrëmujë e rradhës. Por sido që të jetëm ti je mbreti i Ilirisë dhe burri im! (*Papritur Agroni përmendet*)
Agroni:	Ma sillni Pimin këtu. Dua ta shoh për herë të fundit.
Teuta:	Lereni princin të vijë. (*Agronit*) Ku është mjeku? Pse po vonohet? (*Hyn Pimi*)
Pimi:	Baba (*përqafon të atin, Agronin*).
Agroni:	Mos qaj bir! Ngrije kokën lart e qendro krenar. Ti ke për t'u bërë së shpejti mbreti i Ilirisë. Unë po shkoj!
Pimi:	Babë, ku do të shkosh?
Agroni:	Kam për të ikur shumë larg, atje ku na presin të parët. Por do ta marr imazhin tënd në zemrën teme.
Pimi:	Të lutem baba, mos shko! Du që të rrish këtu me ne. Unë, ti dhe nëna. Pashë një ëndërr mbramë sikur po vrapoja mbas teje në errësirë. Më zuri frika.
Agroni:	Tash duhet të sillesh si burrë, kurrë s'duhet të kesh frikë. Fshiji lotët. Princat e Ilirisë nuk qajnë. Pa shih nga dritarja sa e gjërë dhe e bukur është mbretëria jonë. Deri atje në horizont ku toka puthet me qiellin, deri atje shtrihet toka e ilirëve. Ata i kanë tokat e tyne në të dy brigjet e Adriatikut dhe buzë Jonit. Ti do të jesh sundimtari i gjithë këtyre hapësinave. Ti do të jesh mbreti që na duhet.
Teuta:	Pim, përqafoje babin dhe shko. Babi po ikën për një rrugë të gjatë.
Agroni:	Pëllumbi im, dëgjoje nënën. Kur të rritesh, mos dëgjo se çfarë thonë armiqtë e tu. Do të lutem për ty, kudo që të jesh.
Pimi:	Ba, nuk dua që të shkosh. Kush do të më bëjë ushtrime me shpatë? Kush ka për të më mësuar, si të bëhem mbret?!
Agroni:	Teuta, nëna jote. Ajo do të mësojë.

Pimi:	Teuta? Ajo nuk është nëna ime!
Teuta:	Ç'farë janë këto fjalë vrastare, mor bir?
Pimi:	Dy shërbëtore po pëshpërisnin mbrapa derës sime. Dëgjova njërën prej tyre të thotë që ti nuk je nëna ime dhe që babai është duke vdekur.
Teuta:	Unë jam nëna jote. Ndoshta je e lodhur dhe ke dëgjuar shpirtrat e këqinj! Ik, bir! Babai është i lodhur e ka nevojë të flerë.
Agroni:	Bir! (*Agroni bie në agoni. Dy ushtarë marrin Pimin me vete. Ai kthen kokën pas për të marrë vesh se çfarë po ndodh. Teuta nuk e mban dot më veten dhe shpërthen në lotë.*)
Teuta:	Agron! Agron! (*Papritur hyn mjeku i shoqëruar nga dy ushtarë. Mjeku i hap kapakët e syve me gishta dhe i vë veshin mbi krahëror. I mat pulsing e dorës me mollëzat e gishtave dhe tund kokën me dëshpërim.*) Hë, çfarë ka?
Mjeku:	Nuk di çfarë të them! Kam frikë se nuk ka shpresë shpëtimi!
Teuta:	Nga se mund ta ketë?
Mjeku:	Ka shenja helmimi! Kush ishte këtu para se të vdiste?
Teuta:	Sipas rojeve ishin tre vajza që i sollën një shishe me verë.
Mjeku:	Të gjendet tre vajzat! Vetëm ato e ruajnë sekretin.

Psherëtin thellë. Teuta shpërthen në dënesë. Klithma e saj mbush dhomën mbretërore. Mbyllen perdet.

SKENA E KATËRT

*E*nkeleu, Ardiani dhe Dhimitri para dhomës së mbretit presin me shqetësim se çfarë do të ndodhë.

Enkeleu:	Po vdiq mbreti, morëm fund. Mori fund edhe Iliria.
Ardiani:	S'ma merr mendja. Unë i besoj shpatës dhe forcës së krahëve të mi. Sytë më shohin fare qartë. Fara e Ardianëve kurrë s'do të humbë.
Enkeleu:	Po i lutemi Hyllusit, stërgjyshit tonë të na mbrojë.
Dhimitri:	Fatkeqësitë do të na pllakosin njëra pas tjetrës. Diçka shumë djallëzore dhe e shëmtuar po ndodh. Jemi në një rrezik shumë të madh.
Enkeleu:	Mbreti ish mirë dje. Ai bëri një dyluftim me mua në fushim dhe më mundi.
Dhimitri:	Dikush ka bërë ndonjë poshtërsi. Mbreti është helmuar. Eshtë e pamundur, që një burrë i kaq i madh të bjerë kaq papritur. Dielli nuk ka perënduar ende dhe ja, ai ka mbyllur sytë përgjithmonë. Do të jetë një plan djallëzor për ta hequr qafe e për t'i marrë fronin. Mbretëresha jonë e nderuar duhet të dijë diçka për këtë.
Enkeleu:	Mjaft! Mos u merr me llafe si gratë e këqija. Nuk i kanë hije një princi të Ilirisë. Nëqoftëse mbreti është goditur nga ndonjë sëmundje dhe nuk gjejmë ndonjë ilaç këtu, atëherë duhet të dërgojmë njerëz me e gjetë këtë ilaç që mreti të shërohet.

Dhimitri: Mendoj që është shumë vonë, për të kërkuar ilaç. Këtë e ka kurdisur mbretëresha. Do jetë hakmarrë për prapësitë që i ka bërë i shoqi. E ka helmuar në shtratin e tyre martesor. Pikërisht në atë shtrat që ai vetë e ka përdhosur.

Ardiani: S'ka më drejtësi.

Enkeleu: Ç'janë këto fjalë të pahijshme për mbretëreshën tonë? Fqinjët po na sulmojnë si ujq nga të katër anët dhe do të na shkatërrojnë plotësisht. Erdhëm për të folur me mbretin, por ai nuk është në gjendje të flasë. Kush do të na udhëheqë?!

Ardiani: Armiku ka ardhur në breg. Anijet liburne janë sulmuar nga romakët. Tregtarët piratë po hyjnë në brigjet tona dhe po rrëmbejnë gratë. Ata nuk duan që ne të bëjmë tregti në tokën tonë.

Dhimitri: Nuk po marr vesh, përse po presim? Nëse nuk ka asnjë mundësi për ta takuar mbretin, për arsyen se ai është pa ndjenja, atëherë si duhet të kundërveprojmë? Kush do të na udhëheqë në vend të tij? Eshtë përgjegjësia jonë që të ngrejmë lart shpatat tona dhe të drejtojmë luftën.

Ardiani: Nuk kemi ardhur për këtë punë. Shohim një herë, a na e kanë nevojën apo jo?!

Enkeleu: S'ma merr mendja që ka vdekur. Dua ta shoh me këta dy sy. Si tani e kam para sysh në fitoren që korrëm në Gjirin e Artës. Flamujt e Ilirisë u valëvitën krenarë. Ende shikoj skllevërit, ndërsa qajnë nga gëzimi e ulen në gjunjë para mbretit. Kishin zinxhirë në kyçet e këmbëve dhe të duarve, por zjarri që ndezi Agroni i Madh u shndrit sytë.

Dhimitri: Helenët kundërsulmuan me shpejtësi. Gëzimi i ilirëve nuk zgjati shumë. Tashmë Arta është përsëri e pushtuar.

Enkeleu: Ata mund të sulmojnë Ilirinë, por ne s'duhet të dorëzohemi. Etolët do t'i përzëmë përsëri

Dhimitri: (*Duke parë nga qielli*). Hëna është e plotë sonte. Kjo është shenjë e keqe, që tragjedia po afron. Do të ndodhë diçka që mund të ndikojë edhe gjeneratat e ardhshme.

E kam si tani parasysh: Burrat më trima do të presin mustaqet për t'u udhëhequr nga fustani i një gruaje.

Enkeleu: Kjo është ajo që të thonë zanat ty?

Dhimitri: Dëgjomë me kujdes. Teuta do të hipë në fron sapo të ngryset. Takat e saj të larta do të ngjyhen me gjakun e Agronit.

Enkeleu: Truri yt është si një varkë që hallakatet në det nga erërat e forta. Mendja jote është si një gjethe që era e përplas gjithkund dhe më në fund e rrëzon përtokë, atje ku e ka vendin.

Dhimitri: Po më detyron të mos flas më. Të fshehtat e mendjes i nxjerr gjithnjë vera. E çfarë mund të thotë njeriu kur është esëll, kur gjuha bëhet gur? Zoti na bekoftë me sa më shumë verë.

Enkeleu: Për vete do të jem besnik i familjes së mbretit. Mbretëresha do të ketë besën time.

Ardiani: Unë jam ushtar. Nëqoftëse mbretëresha më urdhëron të shkoj në luftë, do të luftoj gjersa të vritem. Armët tona janë nën shërbimin e saj. Eshtë ligj që kur mbreti vdes, mbretëresha hipën në fron.

Dhimitri: Por mbreti vdiq pas një veprimi djallëzor. Ai është helmuar.

Enkeleu: Kush e ka helmuar? Ti nuk ke dhunti të mbinatyrshme të shohësh gjëra që askush s'i pa.

Dhimitri: Unë po të them që je ti i verbër nga pasioni për atë grua dhe që nuk zbulon se çfarë djalli është ajo! Nuk e ke harruar faktin, që Agroni ta mori të dashurën e zemrës dhe s'do që të besosh asgjë që tingëllon e keqe për të. Ajo është grua dhe për këtë arsye nuk mundet të na udhëheqë në luftë apo në fitore. Toka jonë dhe populli ynë do të zaptohen nga armiqtë.

(Enkeleu ngre shpatën).

Enkeleu: Betohem për zotat se do të të vras me dorën time për shpifjet që po i thur mbretëreshës. Do kesh ndonjë gjarpër në bark, prandaj i ke fjalët me helm.

27

(*Ardiani ndërhyn, ndërsa dëgjohen klithmat e Teutës që nga jashtë skenës*).

Ardiani: Shshsht! Mbani qetësi!

Zëri i Teutës: Mbreti vdiq! Oh! Mbreti Agron ka mbyllur sytë përgjithmonë!

Ardiani: (*Sheh jashtë skenës*). Pa shih! Po çjerr faqet me thonj e po i shqyen rrobat që ka veshur.

Enkeleu: Nuk po më besohet! Mbreti vdiq.

Ardiani: Lavdi mbretëreshës! Qysh sot le të na prijë përpara!

Enkeleu: (*Pëshpërit*) Duhet të nderojmë sundimtarin e ri! Një grua! (*I rrënqethen shpatullat dhe thërret fort.*) Duhet të brohorasim: Rroftë mbretëresha!

SKENA E PESTË

Teuta hyn në skenë. Duket krejtësisht e shfytyruar. Ardiani ulet në gjunjë para saj.

Ardiani:	Mbretëresha jonë! Sot të shpallim ty sundimtare dhe udhëheqëse. Për vete jam princ, por në rradhë të parë jam ushtari yt deri në vdekje. Ti je komandantja jonë që do të na udhëheqë në fitoret e të gjitha betejave.
Dhimitri:	*(Me zë të sforcuar).* Lavdi mbretëreshës. *(Me vete).* Delet më në fund gjetën bariun. Tani për tani po i bashkohem kopesë.
Ardiani:	Mbretëresha ime! Jam nën urdhërat e tua. Na thuaj çfarë të bëjmë?

(Teuta nuk flet. Një hije e rëndë i ka mbuluar fytyrën. Duart i dridhen nga emocionet.)

Teuta:	Mbretin e kanë helmuar!
Enkeleu:	E kanë helmuar?!
Teuta:	*(Sheh me neveri nga Dhimitri.)* Ishin tri vajza që i kishin sjellë një verë të rrallë për ta provuar! Njëra ishte flokëverdhë, tjetra një flokëzezë dhe e treta ishte tullace! A di gjë ti Dhimitër se kush i solli këto vajza në dhomën e mbretit?
Dhimitri:	*(Duke folur me vete).* Jo, nuk di gjë!
Teuta:	Ju betohem se do ta gjej shumë shpejt se kush e ka

29

helmuar mbretin! Enkele, rretho kështjellën sa më shpejt që të jetë e mundur dhe blloko të gjitha hyrjet e daljet. Të trija këto vajza, duhet të kapen me çdo kusht! Ato ruajnë sekretin, se kush i urdhëroi për të helmuar mbretin! (*Nuk ia heq sytë Dhimitrit*).

(*Klithmat e grave dëgjohen që nga pas skenës. Thirrja e një lajmësi oshëtin në hapësirë.*)

Zëri i lajmësit: Eheeeej! Ka vdekur mbreti Agron, more heeej! Ka vdekur mbreti!

(*Enkeleu merr qëndrim gatitu.*)

Enkeleu: Si urdhëron, mbretëreshë! Po shkoj të bëj gati Shpurën e Mbretit dhe po rrethoj kështjellën.

(*Në skenë mbeten ballë për ballë Teuta dhe Dhimitri.*)

Teuta: Unë e di shumë mirë se kush e ka bërë! Kur të kap ato tri vajza, miu që i urdhëroi të gjejë vrimë e të futet!

(*Del. Dhimitri mbetet vetëm në skenë krejtësisht i hutuar. Bien perdet. Dëgjohen zëra. Një grup luftëtarësh ilirë ecin me hap ushtarak në pjesën e prapme të skenës. Dëgjohet ritmi rreshtor i hapave të tyre në fillim i fuqishëm, pastaj sa vjen e zbutet në errësirë.*)

30

SKENA E GJASHTË

Triteuta hyn në kopshtin e Mbretëreshës. Dhimitri i afrohet dhe e puth me afsh në buzë.

Dhimitri:	Zemra ime! (*Tenton ta përqafojë, por ajo e shtyn e frikësuar, duke parë rrotull gjithë frikë*). Hë, po tani çfarë ka ndodhur?
Triteuta:	Mos më prek! Nuk ndjehem mirë!
Dhimitri:	(*i fyer*) Nuk po të marr vesh. Gjithçka e bëra për ty!
Triteuta:	Për mua? Gjithçka e paske bërë për mua? Unë nuk të thashë që të helmoje mbretin!
Dhimitri:	Shshsht! Mos e ngri zërin! (*Shikon rrotull*). Pimi është biri yt. Ti e ke mbajtur në bark. Duhet ta marrësh tët bir e ta sjellësh në shtëpi.
Triteuta:	Do ta marr prapë tim bir! Por kush do t'i thotë të vërtetën që unë jam nëna e tij natyrale? Si tani e përfytyroj atë moment kur do t'i them: "Unë jam nëna jote e vërtetë. Megjithëse nuk jam mbretëreshë, por thjesht një shërbëtore në kështjellë, kjo nuk e ndryshon dot të vërtetën, që ti je im bir!"
Dhimitri:	Duro dhe ca! Nuk ke për të qënë shërbyese tërë jetën. Me ndihmën time ke për të zënë vendin që të takon në historinë e Ilirisë. Të dy ne duhet të rrëzojmë nga froni Teutën.
Triteuta:	Pra duhet të luftojmë kundër Teutës... Ka për të qënë

Dhimitri: shumë gjë e rrezikshme. Kjo është një ëndërr e pamundur. Jo, e dashura ime! Oborri mbretëror po gumëzhin nga thashethemet. Kam hapur fjalë se ishte mbretëresha jonë shembullore që i ka dhënë një gotë me verë mbretit. Fill pas kësaj mbreti ra në shtrat i sëmurë dhe nuk u ngrit më. Gjendja e iu përkeqësua edhe më shumë, gjersa humbi ndjenjat, por deri në grahmën e fundit jepte e merrte si i çmendur.

Triteuta: (*Sheh nga Dhimitri me shqetësim*). Nuk ka dyshim, që ajo e ka helmuar. Këtë gënjeshtër duhet ta besojmë vetë ne, të parët. Nuk e ka bërë askush tjetër përveç asaj. Nuk priste dot ajo që të merrte hakë. Ajo e ka parë disa herë Agronin të vinte tek unë. Më urrente mua, por urrente edhe Agronin, që kish nevojë për mua. Unë i jepja mbretit atë që i mungonte. Për këtë jam e sigurtë. E ka helmuar me helmin më vdekjeprurës që mund të mblidhet nga gjarpërinjtë.

Dhimitri: (*i gjallëruar*) Po, po! Ajo ja ka dëshiruar vdekjen aq herë, sa herë që e shtynte të shkonte në luftë, por ai kthehej gjithmonë i gjallë dhe me fitore. Teuta nuk priste dot më sa të hipte në fron, prandaj e ka helmuar.

Triteuta: Duhet t'ju mbushim mendjen njerëzve se "Teuta është një djallo grua dhe shumë e rrezikshme për ata që nuk arrijnë ta kuptojnë".

Dhimitri: T'u themi me zë të ulët se "Teuta është aq e bukur në trup dhe fytyrë, sa çështë e shëmtuar në zemër. Vetë unë do t'i pëshpëris Shpurës së Mbretit se "e pashë tek shkonte drejt fronit me atë shprehje triumfi në fytyrë. Fytyra i shkëlqente nga forca e pushtetit. Qerpikët e gjatë si krahët e një dallandysheje fshihnin sekretet e shpirtit. U robërova nga ata sy si diamante kundër dëshirës sime. Duart e saj të bardha e delikate tashmë janë përlyer me gjakun e Agronit."

Triteuta: Kur e pe për herë të fundit?

Dhimitri: E pashë në një karrocë që tërhiqej nga dy kuaj aq të zhdërvjellët dhe elegantë, sa nuk m'i kanë zënë ndonjëherë

32

sytë. Dy ushtarë mbanin kordhën e Agronit dhe i prinin karrocës. Të njëjtën shpatë, për të cilën ai ishte aq shumë krenar dhe që gjithnjë i dukej sikur i jepte forcë. Por që ishte krejt një send pa vlerë, atëherë kur i duhej.

Triteuta: Populli i pagdhendur duhet të marrë vesh vetëm një të vërtetë: "Vdekja i erdhi në mënyrë të errët dhe misterioze; kjo ishte e vërteta e pathënë, që folën muret dhe që u mor nëpër gojë nëpër qoshkat e asaj kështjelle të braktisur, të zaptuar nga hijet e fronit." Unë kam të drejtë të lakmoj fronin dhe jo ajo. Të drejtën për të marrë fronin e mbretit e ka vetëm Pimi, djali im.

Dhimitri: Kurora e mbretëreshës do të të ketë shumë hije. Trashëgimtari për Mbretërinë e Ilirisë lindi nga barku yt dhe vetëm për këtë e gjithë Iliria do të të ulet në gjunjë.

Triteuta: Dua ta shkatërroj, ashtu siç bëri ajo me jetën time. Dua t'ia nxjerr sytë me gishtat e mi, t'ia çjerr lëkurën dhe t'ia shtyp kokën me gurë, pasi ta vë poshtë këmbëve. Urrejtja ime për të është e përzier me ajrin që të dyja thithim. Por sa për sy e faqe më duhet t'i bëj nderimet si mbretëreshë.

Dhimitri: Duhet ta godasim në pikën e saj më të dobët.

Triteuta: Unë s'di të mbaj shpatën akoma.

Dhimitri: Ka një armë më të fuqishme se shpata për ta goditur. Ti e ke këtë armë. Merre Pimin, mos e lër nën kujdestarinë e saj. Ai është i yti. Cilado që ka Pimin në anën e saj e meriton të shpallet mbretëreshë e Ilirisë. Kjo ishte edhe një dëshirë e vjetër e mbretit, të cilën e pohoi me gojën e vet kur Pimi u lind.

Triteuta: M'u tha zemra për tim bir. Sa kam ëndërruar ta mbaj në krahët e mi, ashtu si dikur, kur ishte vetëm një foshnje në gj!. Dua t'i tregoj dashurinë e vërtetë të nënës. Sa kam qarë kur ma kanë shkëputur nga gjiri; m'u duk sikur kisha vdekur. Shumë shpejt ka për ta mësuar se kush është nëna e tij e vërtetë. Kur ta marrë vesh, ka për të ardhur drejt e tek unë.

Dhimitri: Kjo gjë mund të rregullohet. E kam parë disa herë

33

princin të luajë vetëm në kopësht. Mund ta takosh atje.
Mjafton të bëhesh e guximshme dhe t'i afrohesh.
(*Ecin në krahun tjetër të skenës*).

Triteuta: Vërtet mendon që gjërat të jenë kaq të thjeshta?
Megjithëse plani duket kaq i thjeshtë, kam aq shumë
frikë, sa nuk bëhet, pasi ti nuk do të jesh në krah meje
të më japësh kurajo dhe zemër.

Dhimitri: Planet më të mëdha fillojnë nganjëherë nga një ide fare
e vogël. Tani ka ardhur koha për veprim. Mbreti vdiq
dhe kur të merret vesh që dha shpirt nga duart e Teutës,
atëherë ka për të vajtur aty ku nuk mban më. Mbaje
mend, se çfarë të them unë: ajoj ka për t'u rrëzuar nga
froni. Ti je nëna e vërtetë e Pimit dhe kur të kesh edhe
atë në anën tënde, pushteti do të vijë vetë tek ne.

Triteuta: Jam zhytur në këtë gjendje të pashpresë gjithë këta vjet.
Jam nëna e vërtetë e mbretit të ardhshëm dhe vazhdoj
të jem shërbëtore në kuzhinë. Ndërsa shikoj tim bir kaq
afër dhe larg.

Dhimitri: (*E përqafon*) Lermë të të puth. Do t'i ndreq të gjitha
padrejtësitë që të janë bërë. S'ke për të vuajtur më nëpër
skutat e kështjellës. Ke për të dalë para të gjithëve për
të marrë vendin që të takon dhe do të frymosh ajrin e
lirisë. (e puth)

Triteuta: Po sikur im bir të mos më pranojë? Kam frikë se s'ka
për t'i pëlqyer fakti se kush është nëna e tij e vërtetë
dhe mund që t'i vijë zor se kush jam unë dhe të më rrijë
ftohtë. Mund edhe që të thërresë rojet që të më kapin
e të më plasin në qeli. Kam jetuar gjithnjë me shpresën,
se do të vijë dita, që ai ta marrë vesh se jam nëna e tij e
vërtetë, se do të më pranojë dhe më përqafojë. Gjithë
këta vjet kam mbajtur me vete këtë baluke flokësh fare
pranë zemrës. Këtë baluke flokësh e preva nga flokët e
tij, para se të ma merrnin nga gjiri. Ndërsa kjo është një
pjesë e zorrës, që ishte e lidhur me kërthizën e tij, kur e
linda. Këto janë të gjitha ç'ka më mbeti nga vogëlushi
im.

Dhimitri: Edhe këto pak gjëra, nëse arrin t'ia dëftesh, nuk do të ketë asnjë dyshim, që ai ka për t'u ndikuar nga ato.

Triteuta: Ende i kam ruajtur pelenat, rrobat e para që veshi, të cilat i lanë pas si gjëra pa vlerë, kur ma morën. Ai i shikon këta dy luanë të vegjël të qepur në këtë shtrojë? Këto janë shenja që përdorin fisi i Agronit.

Dhimitri: Këto duhet t'ia thuash Pimit. (Pauzë) Ah, pa shih kush po vjen. Eshtë i pashoqëruar nga askush. Unë po largohem. Duhet t'i flasësh patjetër.

Triteuta: Prit! Kam shumë frikë. Po sikur të më vënë re rojet, që po i flas? Po sikur të më urrejë?

Dhimitri: Tregoji, ato sende që më përshkrove mua. Së paku do ta marrë vesh se kush je. Të tjerat lërja rrotës së fatit. Së paku do të të njohë dhe ti do ta lehtësosh brengën tënde.

(Dhimitri largohet).

Triteuta: *(flet me vete).* Më duket sikur toka po hapet nën këmbët e mia e po kapem për flokësh me vdekjen. Ndjej gjakun të më rrjedhë nga hundët. Zota atje lart, çfarë mundet të bëj? Kjo rrjedhje gjaku që m'u shkaktua nga ankthi nuk ka për të ndalur.

(Pimi hyn në skenë duke mbajtur një përkrenare romake në duar. E vëren me kujdes objektin metalik dhe flet me vete).

Pimi: Sa e çuditshme kjo përkrenare romake. Eshtë e shpuar tejpërtej nga një shigjetë ilire. Nuk arriti dot të mbronte kokën e luftëtarit!

Triteuta: *(I afrohet me ndrojtje)* Kjo përkrenare nuk është lodër për fëmijë. Në fakt duhet të të fuste frikën.

Pimi: *(duke parë nga ajo)* Kush jeni ju që më flisni? Kush po flet me këtë zë kaq të ëmbël? Pse po e mbulon fytyrën moj zonjë? Oh, pa shih! Po ju rrjedh gjak nga hundët. Mos jeni gjë e plagosur? A dëshironi që të thërres dikë për ndihmë?

Triteuta: Jo, jo, mos thirr askënd. Nuk jam e plagosur. Gjaku më rrjedh nga hundët sa herë që ndihem e frikësuar.

Pimi:	(*i ofron shaminë e vet*). Merreni që të ndaloni sadopak gjakun.
Triteuta:	Nuk kam gjë, bir! (*Heshtje*) A je ti Pimi, djali i Agronit?
Pimi:	Po, unë jam!
Triteuta:	Pra, ti je i biri i mbretit, princi që do t'i zërë vendin babait dhe që do të vërë një ditë kurorën mbi krye.
Pimi:	Nëna ime është ulur tashmë në fron, në vend të babait.
Triteuta:	Oh, vogëlushi im! (*Triteuta merr frymë thellë*). Ka ardhur koha të të zbuloj të vërtetën, para se ngërçi i frikës të më mbyllë gojën përsëri. Nëna jote e vërtetë është këtu, para syve të tu, me lot në sy e zemër të thyer, që nga ajo ditë kur të rrëmbyen nga krahët e mi. Kam jetuar deri më sot me të vetmen shpresë se do të vinte një ditë si kjo, që e vërteta do të dilte në shesh. Se do të vinte ajo ditë, që do të qëndroja para teje, si nëna para birit të vet dhe do të të mbaja në krahët e mi përsëri.

(*Ngre krahët dhe i afrohet për ta përqafuar, por Pimi qëndron ende i ngurtë, pa e marrë veten nga ajo çka dëgjuar dhe bën një hap prapa për ta shmangur*).

Pimi:	Nuk e kuptoj se çfarë po thoni, zonjë? Ju jeni nëna ime? Atëherë, ata dy shërbëtorët kishin të drejtë kur thanë që "nëna ime e vërtetë nuk është mbretëresha"! Pra ti një shërbëtore, je nëna ime! Këtë deshe të më thoshe?
Triteuta:	Këtë desha të thosha, por fati djallëzor ma ka mohuar deri tani. Ma ka mohuar krenarinë e të qënit ilire dhe veçse jam zhytur gjithnjë e më thellë në këtë gjendje varfërie. Unë jam nëna jote, që mbase nuk rrjedh nga një familje e pasur dhe e dëgjuar, por që ishte një familje e mirë, e cila kishte fatin e mirë apo të keq të sillte në jetë një princ, mbretin e ardhshëm e që megjithëkëtë, prapë nuk lejohem të hipi në fronin e mbretëreshës. A e shikon këtë çantë të vogël? E mbaja gjithmonë me vete si një kujtim shumë të vyer. Këtu ka një copë nga ai tub mishtor që lidhte vogëlushin tim me barkun tim, për ta ushqyer. Kjo copë zorre është lëkura jote. E kam ruajtur

si gjënë më të shtrenjtë që nga dita kur linde. A i sheh këto pelena, këto rroba me përmasa kaq të vogla? I kam ruajtur si dritën e syve gjithë këta vjet. Këto sende ishin si drita e syve të mi. Që atëherë nuk të pashë më, por nuk të kam hequr nga zemra. Mbreti nuk mund të arrinte gjer aty sa të më shkulte ty nga zemra.

Pimi: Nëna ime më tha që ka shumë njerëz të këqinj aty pari, që duan të përhapin gënjeshtra. Nëqoftëse ti je nëna ime, atëherë pse më braktise? Pse babai të katandisi në një copë shërbëtore shtëpie?

Triteuta: Mbreti ishte i martuar me Teutën, zonjën e parë, por ajo nuk mund të bënte dot fëmijë, që të trashëgonte fronin. Familja mbretërore vendosi që të gjente një grua tjetër për të siguruar princin trashëgimtar. Mbreti urdhëroi lajmëtarët të binin me dije popullit që familja mbretërore po kërkonte një grua të shëndetshme, e cila do të ishte në gjendje të sillte në jetë një fëmijë, një grua që do të lindte princin e ardhshëm. Kryetarët e fiseve kërkuan nëpër të gjithë Ilirinë dhe më në fund më zgjodhën mua si nënën më të denjë për mbretin e ardhshëm.

(*Ngashërehet*) Isha e martuar me një bari, një djalosh të ri dhe kullotën e kishim në një nga pikat më të larta të Korabit. Më zgjodhën mua, sepse linda tre fëmijë meshkuj njëherësh. Lajmi për lindjen e trinjakëve u përhap gjithandej si një ogur i mbarë në të gjithë Ilirinë. Një i dërguar nga oborri i mbretit erdhi në shtëpinë tonë në mal dhe i kërkoi burrit tim, që t'i bindej urdhërit të mbretit dhe të më linte të shkoja në kështjellë dhe të rrija me mbretin. Burri im u zemërua shumë, por nuk dinte se çfarë të bënte. Mbreti ishte mbret dhe urdhërat duheshin zbatuar. Tre vogëlushët e mi m'u morën nga gjiri. Në atë çast të tre ata humbën nënë e tyre, kur ishin vetëm disa javësh. Më morën gati me forcë në kështjellë dhe jetova me mbretin për një javë. Nuk lejohesha të shihja askënd përveç mbretit. Kur u mor vesh që linda djalë, e gjithë Iliria u përfshi

nga festat, përveç mbretëreshës. Që në atë moment që
të linda ty, pata edhe unë një trajtim prej mbretëreshe.
Ushqimi më i mirë që mund të gjendej, do të me jepej
mua. Kam pirë edhe qumësht dallandysheje.

Pimi: Domethënë ata janë sjellë mirë me ty.

Triteuta: Po, kur të kisha ty në bark, nuk mund të imagjinoja
të më trajtonin më mirë se aq. Unë kisha sjellë në jetë
trashëgimtarin për fronin. Haja luleshtrydhe nga më të
rrallat të mbledhura posaçërisht për mua. Më sillnin për
drekë zemra pëllumbash të shkuar në hell. Shpesh më
bënin shëtitje në karroca të stolisura për merak. Teuta u
bë aq shumë xheloze, sa më zuri frika se mos bënte ndonjë
rreng e më vriste. Nga një mbretëreshë e dashur dhe e
sjellshme, ajo ishte shndërruar në një grifshë djallëzore
dhe njëherë më tha se do të ma priste kokën, sapo të të
lindja ty. Kur të linda ty, Teuta erdhi me ushtarët e saj,
të mori ty nga gjiri, të zhveshi rrobat që të kisha veshur
unë dhe të veshi rrobat e mira që kishte sjellë me vete.
Që nga ajo ditë që të rrëmbyen nga krahët e mi, jeta ime
ndrsyhoi. Më përzunë nga Pallati Mbretëror menjëherë.
Teuta dha urdhër që unë të vritesha, por mbreti e mori
vesh në kohë dhe u kujdes për mua. Më strehoi në një
shtëpi sekrete që të ndihesha sa më e sigurtë. Foli me
një nga komandantët dhe me ndihmën e tij fillova punë
si kuzhiniere në kështjellën e Enkeleut. Vendi ku isha
fshehur nuk u zbulua asnjëherë. Vetëm dy vetë e dinin
se kush isha unë: mbreti dhe Enkeleu. Mbreti më vizitoi
shpesh atje në fshehtësi, larg syve të Teutës.

Pimi: Eshtë një histori e trishtueshme, por nuk e di sesa e
vërtetë mund të jetë.

Triteuta: Eshtë plotësisht e vërtetë. Ka njerëz që e dinë këtë histori,
por nuk duan të flasin. Mbaj mend që ke patur një nishan
nga lindja nën krahun e majtë. Duhet që ta kesh ende aty.

Pimi: Po, e kam. (*Ngre këmishën dhe ia tregon me gisht i
emocionuar*) Ja ku është. Ndoshta...ti je nëna ime e
vërtetë. (*I afrohet dhe e përqafon me ndrojtje.*)

Triteuta: Teuta hapi fjalë se unë kisha vdekur nga një sëmundje e
              pashërueshme. Ajo dërgoi vrasës për të më gjetur e vrarë.
              Njëri prej tyre më gjeti se ku isha, por atij i erdhi keq për
              mua dhe më la të jetoj.

Pimi: Më vjen keq për ty. Eshtë e vështirë ta besosh, që ti
              vuajte kaq shumë, gjatë të gjithë kësaj kohe që ishe larg
              meje. Po sikur të vij të jetoj me ty?! Më duket sikur nuk
              do të të shoh më, po të iki tani.

Triteuta: Po ku do të shkojmë? Mbretëresha do të na vrasë të
              dyve.

Pimi: Nuk kam më dëshirë të kthehem në kështjellë. Kam
              ndëgjuar do njerëz që thonë se ajo ka helmuar babain.
              Kudo që shkoj, dëgjoj njerëz që pëshpërisin për këtë.

Triteuta: (*E mban fort në gjirin e saj*) Zogu im i vogël. Ndërsa të
              mbaj fort në krahët e mi, të dëgjoj të rrahurat e zemrës.
              Tani ti e di të vërtetën, që unë jam nëna jote. Dua që ti
              të bëhesh mbret!

Pimi: Mbretëresha më tha që do bëhem mbret, kur të rritem.

Triteuta: S'dua të pres gjer atëherë. Ndoshta nuk do të jetoj aq gjatë
              gjersa t'ia arrij asaj dite. Do të më bëhet bari një pëllëmbë
              mbi varr e emri do të më harrohet. Para se të ndodhë kjo,
              dua të të shoh ty në vendin që të takon, në fron.

              (*Teuta hyn në skenë e shoqëruar nga dy ushtarë ilirë.
              Triteuta habitet dhe mban Pimin ende në krahët e saj.*)

Teuta: Pa shih kush na qenka, Triteuta! Nuk prite shumë gjatë
              që të krijosh shqetësime.

Triteuta: Oh, s'e kisha parë djalin që ditën që kishte lindur,
              e dashur mbretëreshë. Tani ka ardhur dita që të mos
              dorëzohem.

Teuta: Pimi, ç'do me atë grua? Eja tek unë!

Pimi: Ajo është nëna ime e vërtetë. Nuk vij me ty.

Teuta: Unë jam nëna jote dhe askush tjetër. Unë të rrita qysh kur
              ishe i vocërr dhe të kam ushqyer edhe me frymën time.
              Eja me mua, mor bir! Mos e dëgjo atë. Ajo është veç një
              shtrigë. Largoju prej saj, se do të bëjë ndonjë gjë të keqe.

Triteuta:	Jo, moj zonjë e nderuar! Nuk mund ta gënjesh më tim bir. Tregoji të vërtetën.
Teuta:	Shtëpia jonë është bosh, kur ti nuk je aty, biri im. Isha aq shumë e shqetësuar, që nuk po të gjeja. Dërgova tërë ata njerëz për të të kërkuar gjithandej. Tani lëre atë e eja me mua!
Pimi:	Nëqoftëse e le, ti ke për ta vrarë!
Teuta:	Nuk ka për t'i ndodhur asgjë! Eja në shtëpi.
Pimi:	Lëre të vijë me ne!

Pimi:	(*Pimi i afrohet Teutës. Teuta e përqafon fort dhe e mban ende shtrënguar në krahët e saj*) Nuk di ç'ka po ndodh. Jam ngatërruar keq. Eshtë thënë shumë në këtë kopësht e gjithçka që po thuhet mund ta ndryshojë krejtësisht jetën time. Tani për tani nuk po di kush ka të drejtë. Vetëm një gjë e di me siguri, që nuk dua ta lë shtëpinë ku u rrita.
Teuta:	Kurrë s'ke për ta braktisur shtëpinë tënde, zemër!
Pimi:	A ka mundësi të më thuash kush është kjo gruaja këtu, sipas mendjes tënde.

Teuta:	(*Tregon me gisht Triteutën*) Ajo është gruaja që të lindi, por unë jam kujdesur për ty tërë jetën tënde.
Pimi:	(*ngashërehet*) Nuk dua ta dëgjoj këtë histori me dy nëna.
Teuta:	Tash eja të shkojmë në shtëpi, atje ku e ke vendin.
	(*Pimi largohet nga skena, duke kthyer kokën pas i trishtuar*).
Teuta:	(*duke i skërmitur dhëmbët Triteutës)* A e sheh se çfarë ke bërë? Por ai e bëri zgjedhjen e vet, e cila është zgjedhja më e mirë. Plani yt për ta rrëmbyer djalin, dështoi, moj shtrigë e djallit.
Triteuta:	Nuk kam bërë gjë tjetër, veçse i kam thënë të vërtetën. Nëse ty nuk të pëlqen, nuk kam çfarë të të bëj. Kjo e fshehtë do të dilte në dritë një ditë. Pimi duhej ta dinte. Dikush i kishte thënë diçka para meje. Tani e di se çfarë më pret: qelia më e errët në kështjellë, ku të vetmit

40

miq do të kem minjtë. Të lutem, më fal, Teutë! Nuk mendova se vërtet mund të të shkaktoja kaq shumë dhimbje. Nuk desha të të bëja keq.

Teuta: Mos të shkoi në mendje që të çoje princin drejt fronit?! Ka mundësi do të jetë ndonjë dorë djallëzore që të shtyu të veprosh kundër familjes mbretërore. Ti nuk je aq e zgjuar sa të kurdisësh këto gjëra vetëm. Fshihet ndonjë tjetër mbrapa krahëve.

Triteuta: Nuk ka njeri tjetër përveç meje. Zemra ime më thotë të bëj atë që dua.

Teuta: Nuk ka më rëndësi se kush të shtyn ty. Ti s'ke për ta paguar tradhtinë, ashtu si të gjithë tradhtarët dikur. Duhet ta dish se çka u bëjmë ne tradhtarëve. I varim mbi një zjarr që digjet pa pushim. Por siç të thashë, nuk do të kesh këtë fat, nëqoftëse më tregon kush e përpunoi këtë skemë dhe mendjen e djallit që ka pasur ky njeri.

Triteuta: *(Me një vështrim humbës)* Dora jote përcakton fatin e të gjithëve sot në këtë vend. Nëse e ke ndarë mendjen të më vrasësh, më vrit.

Teuta: Nuk kam atë synim. Ti je nëna e djalit tim. Një lloj tjetër dënimi kam për të të dhënë. Ke për të vuajtur tënë jetën që të ka mbetur në burg. Kur të t'shoh ty atje, vetëm atëherë do t'i gëzoj ditët e mia në paqe me Pimin. Ti s'ke për ta patur më fatin për ta parë me sy dhe nuk ke për të ndërhyrë dot më mes nesh.

Triteuta: Je kaq hakmarrëse dhe pa zemër, sa nuk di si ta përshkruaj, por e vërteta do të dalë në shesh një ditë dhe atë ditë ti ke për t'u ndëshkuar ashtu siç duhet.

Teuta: Shtrigë e shkretë! A duhet të të fal për tënë ato gjëra që ke bërë për të më hequr qafe? Nëqoftëse dikush të drejton majën e shpatës, duhet të kundërsulmosh, përndryshe vdis! A vërtet mendove, se do më sfidoje duke më marrë Pimin dhe fronin? A po më dëgjon?

Triteuta: Unë linda princin e Ilirisë. Ndërsa ti je kujdestarja e tij!

Teuta: Ç'po kërkon të thuash? Mbreti vërtet donte një princ trashgimtar të cilin nuk mund t'ia jepja. Por ti, grua e ulët, e martuar me një bari, tani po kërkon të hipësh në fron!? Ti po munohesh shumë që t'i japësh vlera vetes, më shumë se ç'vlen në të vërtetë. A dëshiron t'a proosh kurorën në kokë, të paktën një herë në jetën tënde? (*E heq nga koka e vet dhe ia vë Triteutës në kokë për një moment*) A po e shikon sa e përndritshme është? Eshtë e thurur me gurë të rrallë e të shtrenjtë, që i kanë dhuruar princat e Ilirisë.

Triteuta: A ka gjë më të ndyrë sesa të vësh kurorën që të takon nga vetë dora jote? Kjo është tallja më e ulët para vdekjes. Megjithatë, kurrë s'e kam menduar që të rrëmbej kurorën dhe fronin nga Ju, nëse nuk do të ishte e drejta ime.

Teuta: Ke ëndërruar shumë për të zënë vendin, por ti nuk për t'u lejuar për ta bërë realitet atë ëndërr.

Triteuta: Nëse do që të hakmerresh, vazhdo. Rrugën e ke të hapur.

Teuta: Do të paguash për atë që ke bërë. Ke kurdisur puç kundra meje, në bashkëpunim me ndonjë tjetër për të më ma marr djalin peng dhe për të më vrarë. Tani po të bëj të ditur se të gjithë armiqtë dhe kundërshtarët e mi kanë përfunduar në qelinë e tradhtarit.

Triteuta: (*Rënkon. Ulet në gjunjë*). Qofsh e mallkuar!

Teuta: Nëqoftëse s'do që të dënohesh, më trego kush fshihet pas teje? A është ndonjë nga princat, që është i pangopur nga fuqia dhe pasuria që ka? Kush të tregoi ty se mund ta takosh Pimin, pikërisht këtu, në këtë vend e në këtë orë?! A ishte Enkeleu, Dhimitri, apo Ardiani? Kushdo që ka qenë, ka për t'u dënuar. Armikun e kemi në kufi. Duhet që në fillim të merrem me gjarpërin që kam në gji, pastaj me romakët.

Triteuta: Oh, zot, më shpëto! Ma fal jetën!

Teuta: Të të shpëtoj jetën? (*I afrohet dhe e pyet me zë fare të ulët, duke e parë në sy*). Më thuaj kush e helmoi mbretin?

Triteuta: Mbretin? Nuk e di!

Teuta: (*E kap për flokësh*). Ti e di shumë mirë! Që mos të ta pres mishin copa-copa, më thuaj kush e helmoi mbretin! Mjeku tha që ishte helmuar.

Triteuta:	(*Qan*) Nuk e di!
Teuta:	Nuk e di? Atëherë po ta them unë. Ishte Dhimitri! Miku më i ngushtë i Agronit! Merrem unë me atë! Menjëherë! Kam për ta hequr qafe! Do ta çoj në luftërat më të ashpra, me ushtarët që mbrojnë tokat ilire në ishullin e Farit. Do ta shohim si ka me u sjellë në fushat ma të përgjakshme të luftës. A do të mbijetojë përsëri të nesërmen me thur kurthe?! Fati i tij në betejë do të jetë po aq i sigurt, sa në Pallatin Mbretëror, i rrethuar nga femrat.
Triteuta:	Teuta, çfarë kërkon të bësh? Do të dërgosh Dhimitrin në ishullin e Farit? Etolët e kanë pushtuar ishullin para disa muajsh. Si mund ta bësh këtë? Eshtë njësoj sikur ta dënosh me vdekje.
Teuta:	A nuk është ai trim mbi trimat? Një ushtar i egër në betejë, po aq i egër si me femrat në shtrat? Ti duhet ta dish përgjigjen.
Triteuta:	Teuta, rashë në dashuri me të shumë vite më parë. Ishte ai që nuk më la të vdisja, zemërthyer. Tani s'kam për ta parë më, gjer në atë ditë, që të dy do të vdesim.
Teuta:	S'ke për ta parë asnjërin prej tyre, as djalin tënd, as dashnorin. Ishulli i Farit është i rrethuar nga etolët. Romakët janë shumë afër gjithashtu. Ata s'kanë për të ndalur pa zaptuar tokën dhe detin; veç unë mundem t'i ndaloj. Kjo ishte lufta e Agronit, të cilën më duhet ta mbaroj.
Triteuta:	Atëherë duhet të kem të njëjtin fat si tëndin. Ti, njësoj si unë, ke për të përfunduar në pranga.
Teuta:	Nuk më intereson se ç'ka po thua. Do bëj çfarë të mundem për Ilirinë. Do ta vë veten në ballë të rrezikut.
	(*Dhimitri hyn në skenë*)
Dhimitri:	Mos i vër veshin atij, mbretëresha ime! I dëgjova të gjitha ato që tha. Janë të gjitha gënjeshtra dhe të gjitha i thotë si e si që të shpëtojë veten.
Triteuta:	Ajo që thashë është e vërteta.
Dhimitri:	(*Ulet në gjunjë para Teutës*). Nëqoftëse beson kundërshtarët, atëherë nuk je zonjë e zgjuar. Teuta, unë po të them të vërtetën.

Teuta:	(*Gajaset*). Nuk besoj asnjërin prej jush. Roje, shoqëroje këtë grua për në kështjellë e çoje drejt e në qeli, atje ku burgosim tradhtarët. Nuk dua të shoh një gjarpër kaq të rrezikshëm që sillet rrotull shtëpisë sime. Dhe ti Dhimitri…dua që të marrësh armët e të luftosh kundër armikut.
Triteuta:	(*Këlthet në mënyrë histerike*). Mallkuar qofsh! Do zoti e të shoh në ferr, në rrethin e shtatë, o zot! Po lutem, që të vdesësh vetëm dhe e braktisur. U dënofsh me harresë. Më vrit atëherë! është fat më i mirë, sesa jeta në këtë hell.
Teuta:	I dhashë besën Pimit, që nuk do të t'vras. Roje, merreni e plaseni në burg. Ma zhdukni sysh shtrigën! (*Rojet e kapin nga krahët dhe e shtyjnë drejt daljes.*)
Dhimitri:	Do i bindem urdhërave tuaja, mbretëresha ime! Cilado që të jetë dëshira jote, do të plotësohet.
Teuta:	Të dy ju keni përhapur gënjeshtrën që unë kam vrarë mbretin. Vdekja për tradhtarët është goditja me dhjetë shigjeta, por unë nuk kam ndërmend të të dënoj në këtë mënyrë. Tani më thuaj: Pse ke shkuar nëpër mbretëri e ke hapur fjalë që mbreti është vrarë nga mbretëresha?
Dhimitri:	Unë nuk kam thënë asgjë!
Teuta:	Unë e di se kush e ka helmuar! Por nuk dua një luftë të brendshme, tani që jemi në luftë me romakët! Po të emëroj komandant të ishullit të Farit. Mos u merr më me fjalë, si grua e përdalë. Ke për të luftuar si një burrë i vërtetë me shpatë dhe me ushtë. Etolët ndërkohë e kanë zaptuar ishullin Faros. Romakët janë m'u në buzë të ujit. Nëqoftëse ti i mposht këta armiq, atëherë do të emëroj komandant të të gjithë Ushtrisë ilire. Fati ynë varet nga duart e tua.
Dhimitri:	Ky është një nder shumë i madh që më bëhet. Nuk di si të të falenderoj, mbretëresha ime. Do të udhëhiqem nga zëri yt i ëmbël. (*I puth dorën*)

Teuta: (*Tërheq dorën me neveri. I tregon derën e daljes.*) E di sesa shumë më nderon ti mua, mor zotni! Aq shumë sa thure të gjithë atë plan që të më rrëzosh. Ajo çka vërtet nuk kuptoj është dobësia ime. S'e marr vesh pse i fal armiqtë e mi, në vend që t'i zhduk nga faqja e dheut. Kam frikë se kam ndryshuar, fill pas vdekjes së Agronit. Para na presin fitore të mëdha, por edhe humbje të tmerrshme. Një shpjegim e kam: unë nuk dua që shqetësimet e mëdha brenda kështjellës të ndikojnë në fatin e luftës.

SKENA E SHTATË

*P*amje nga salloni i mbretëreshës në Kështjellën e Shkodres. Ambasadori i Romës Laurenti i dorëzon shpatën e tij dy rojeve mbretërore ilire dhe përgjunjet para mbretëreshës, e cila është e ulur në fron. Dy princat ilirë Enkeleu dhe Ardiani qëndrojnë në krah të Teutës.

Laurenti: Shkëlqesa Juaj! Po vij sot para jush si ambasadori i Cezar Augustit të madh, Perandorit të Romës.

Teuta: Mirëse erdhët në Iliri, zotni! Jeni një mik i nderuar i Ilirëve. Shpresoj që do ja kaloni mirë për sa kohë që do të rrini me ne. Në Iliri ne sillemi me të njëjtat rregulla, si me miqtë, ashtu edhe me armiqtë, kur këta vijnë në kështjellë. I presim me bukë, kripë e zemër e i mirëpresim me krahët hapur. Tash më tregoni, çfarë ju shtyri që të vini tek ne?

Laurenti: (Nëpërmjet përkthyesit). Anija ime u detyrua të ankorojë në brigjet tuaja për shkak të erërave të forta. Ngecëm në gjiun ilir dhe ndenjëm atje për ditë të tëra. Tani ka ardhur koha që t'ju jap lajmin e keq drejtpërsdrejti nga perandori ynë Cezari.

Teuta: Tash jua kemi hapur dyert dhe jam gati të dëgjoj atë lajm të keq që keni sjellë.

Laurenti: Shkëlqesa Juaj, perandori është i shqetësuar për vjedhjet dhe grabitjet që po i bëhen anijeve tona tregtare në vijën tuaj të detit. Vjedhësit janë ilirë dhe kanë filluar të bëhen të papërmbajtshëm në sulmet e tyre, sidomos në qytetet bregdetare. Për shkak të tyre, anijet tregtare të Romës kanë frikë të udhëtojnë e të bëjnë tregëti në këto hapësira. Nuk ka më siguri për të vazhduar kështu. Kjo është pirateri dhe nuk duhet anashkaluar, pa patur asnjë kontroll nga ana juaj. Shumë anije tregtare të Romës e kanë përshkuar detin Adriatik, por vetëm gjysma e tyre arriti të kthehet mbrapsht në Romë. Anijet liburne kanë sulmuar shpesh anijet tona tregtare. Perandori ynë ka bërë një kërkesë të fortë për Ju, e Madhërishmja, Mbretëresha e Ilirisë! Sulmet kundër anijeve romake duhet të ndalojnë menjëher.ë Perandori urdhëron që Ju duhet t'i paguani Romës dëmshpërblim për secilën nga anijet e humbura romake, të cilat në fakt, janë zhdukur pasi u sulmuan nga ilirët.

(Zemërimi i Teutës sa vjen e rritet, përsa kohë që Laurenti mban fjalën e tij)

Teuta: Tani dëgjo se çfarë po të them unë, zotëri! Mbretëreshë Teuta e Ilirisë nuk merr urdhëra nga Perandori i Romës, ne nuk jemi nën pushtetin e tij. Deti Adriatik bën pjesë në zonën ujore ilire prej shumë vitesh dhe ka qenë pjesë e mbretërisë së parë ilire të drejtuar nga Hyllus, më i madhi mbret ilir i të gjitha kohrave.

Laurenti: Tregtarët romakë nuk mund të durojnë më sulmet e piratëve ilirë. Mbretëresha ime, Ju duhet të përdorni pushtetin dhe autoritetin tuaj që të ndaloni menjëherë piratët. Perandori e ka bërë të qartë qëllimin e vet.

Teuta: Ilirët dhe në veçanti liburnët nuk e njohin autoritetin e Romës. Ata nuk kërkojnë lejë nga Roma për të vozitur anijet e tyre. Iliria është fuqia e vetme e deteve Adriatik dhe Jon dhe është Roma ajo që duhet të marrë leje, para se të hyjë në ujrat tona! A e bëra të qartë?

Laurenti: Mbretëreshë e Madhërishme! Unë jam vetëm lajmës dhe përsëris çka më është thënë. Lajmi është: Ju duhet të ndaloni piratët që po sulmojnë brigjet dhe

48

anijet romake. Nëqoftëse sulmet vazhdojnë, atëherë Perandoria e Romës do të ndërhyjë për të shpëtuar njerëzit e vet.

Enkeleu: Trego respekt për mbretëreshën tonë!

Laurenti: Ka për të qenë turp e faqe e zezë, nëqoftëse tregoj respekt për Mbretëreshën e Piratëve!

Teuta: Mbaje gjuhën, princ romak! Ilirët janë një popull shumë krenar dhe nuk e pranojnë lehtë një shuplakë që i jepet mbretëreshës.

Laurenti: Vjedhjet dhe vrasjet janë të papranushme dhe këto i bëjnë piratët tuaj. Barkat tuaja kanë shkuar deri në brigjet e Siçilisë. Po zgjeroni mbretërinë tuaj në tokë romake. Perandori kërkon të dijë synimet tuaja se ku doni të dilni?!

Teuta: Ti po flet për sulmet e ilirëve në tokën e Romës, por ç'farë ke për të thënë për sulmet që Roma ka kryer kundër etruskëve? Ata ishin një familje me ne. Vetë qyteti i Romës u themelua nga etruskët, por Perandoria Romake s'donte t'ia dinte dhe i fshiu nga faqja e dheut. S'ka më asnjë shenjë të tregojë se ata kanë jetuar ndonjëherë në atë vend. Ju s' mund të justifikoni pushtimin e Ilirisë, as s'mund të na kërcënoni. Ne tani kemi ngritur armët tona dhe jemi gati të mbrojmë veten kundrejt ndonjë fati të ngjashëm me atë të vllezërve tanë etruskë.

Laurenti: Respekt për ju e Madhërishmja dhe respekt për vlerat e forcave ilire. Ne nuk dyshojmë në trimërinë tuaj në betejë, por përkundër forcave tona romake, të cilat janë të njohura anekënd detit dhe tokës, më vjen keq që po e them, por nuk ka të krahasuar. Komandantët tanë Santumalus dhe Alvinus po presin urdhërat për të marshuar drejt qyteteve dhe katundeve të Ilirisë. Apollonia, Epidamnus, Scampini apo Lissus do të përfshihen nga flakët, do të digjen e bëhen hi. Çdo gjë që keni do përfundojë në flakë. Retë e tymit dhe të dëshprimit do mbulojnë popullin tënd.

Teuta: Jo ashtu, o romak! Ilirët nuk janë lepuj që të frikësohen

49

nga fjalët e ushtarëve romakë. Ne nuk do tërhiqemi, por do të luftojmë aq ashpër si askush tjetër nga armiqtë që Roma ka përballuar në beteja. Nuk do t'i pagojmë asnjë dëmshpërblim Romës. A mund të pyes se për çfarë dëmshpërblimesh bëhet fjalë? Tregtarët ilirë të detit kanë të drejtën e tyre që të bëjnë tregti në brigjet tona. Nuk shoh ndonjë gjë të paligjshme në veprimet e ushtarëve dhe njerëzve tanë të detit, të cilët po bëjnë punën e tyre, po zhvillojnë tregti me këdo që i lidh puna. Ata kanë bekimin tim. Dhe po të them edhe një gjë tjetër, mor zotni. Nëqoftëse anijet romake ballafaqohen me tregtarët ilirë, dua që ta merrni vesh se njerëzit e mi janë të lirë të mbrojnë veten e tyre. Fitoret e tyre do të festohen këtu në kështjellë, në të njëjtën mënyrë sikur të ishin fitore të korrura në fushën e betejës.

Laurenti: Po i dërgoj mesazhin tënd Romës, Shkëlqesa Juaj, por nuk ka për t'u gëlltitur lehtë nga autoritetet atje. Jam i sigurt për këtë. Roma tash e ka marrë shumë seriozisht piraterinë ilire kundër anijeve të saj në det. Po ashtu e di se çfarë po heqin qytetarët e saj në tokën ilire. Kundërshtimi yt për të vënë piratët nën kontroll, të cilët ti po i quan "tregtarë" dhe "ushtarë", do trajtohet si një sfidë e hapur për luftë. Perandori nuk ka për të qenë i lumtur.

Enkeleu: (Shkon drejt tij kërcënueshëm duke mbajtur dorën në shpatë). Ky burrë po ofendon mbretëreshën tonë. Ka ardhur si mik nga Roma, por po i këput pesëqind mikpritësve të cilët e pritën me mirësjellje. Gjëja më e keqe është se ai po e poshtëron mbretëreshën tonë. Kjo e kalon çdo cak.

Teuta: E shoh që ti nuk do të më kuptosh, zotëri! Po ta them prapë që Perandori romak shpejt do ta marrë vesh që unë nuk jam një grua që mund të tërhiqet nga urdhrat që jep ai nëpërmjet emisarëve që dërgon. Unë nuk jam ndonjë që mund të bjerë përdhe nga brinjtë e demave romakë. Në vend të kësaj duhet parë që jam udhëheqëse e një populli trim, i cili do rrëmbejë shpatën, do luftojë dhe do vdesë për të drejtën që të jetojë e të lëvizë

Laurenti: lirshëm në vendin e vet.
Atëhere me sapo thoni, nuk ka mundësi për paqe ose qetësi për popullin tonë nga tirania e piratëve tuaj? Trimat e tu janë një grusht barbarësh, Mbretëreshë Teuta! Barbarë që vrasin e presin, që nuk tregojnë mëshirë ndaj viktimave të tyre.

Teuta: Kjo është ajo që po thua ti! Për ç'arsye duan të vijnë anijet dhe ushtarët e tu në tokat tona? Ç'punë keni ju se ç'bëjnë anijet ilire të tregëtisë jashtë territorit të Romës? Ky është vendi ynë dhe ne kemi për të mbrojtur të drejtat tona për të bërë tregëti këtu. Dhe shih këtu, zotëri! Nëqoftëse anijet romake sulmojnë anijet dhe qytetet tona, atëherë kanë për t'u përballur me ne. Kemi për t'jua marrë krejt mallrat që keni në anije. Eshtë një akt nderi dhe krenarie për çdo ilir që të sfidojë armikun dhe të mbrojë të drejtën tonë për tregëti e për të jetuar në liri.

Laurenti: E si mund të jetë një akt nderi vjedhja dhe plaçkitja e anijeve tona? Sulmi ndaj popullit tonë në tokën e vet? Ushtarët e tu janë piratë dhe shumë shpejt do ja shohin tymin kësaj flake që kanë ndezur.

(Teuta ngrihet nga froni).

Teuta: Takimi ynë mori fund. Merreni dhe çojeni mbrapsht në anijen e vet.
(Teuta del nga skena e shoqëruar nga dy roje ilire, ndërsa dy ushtarë të tjerë e mbërthejnë Laurentin nga krahët dhe e shtyjnë drejt daljes.)

Ushtari ilir: Lutju zotit që të shpëtojë shpirtin para se të shkosh drejt vdekjes.

Laurenti: Pse po më arrestoni? Çfarë gabimi kam bërë?

Ushtari ilir: Ke për të vdekur për shkak të gjuhës që e ke shumë të gjatë. Nuk tregove asnjë pikë respekti për Mbretreshën tonë Teuta. Fjalët e tua e poshtëruan atë. Dhe dëgjo këtu, ti derr romak, rob i trashë! Pikërisht për këtë arsye që guxove të ofendosh mbretëreshën, ke për të vuajtur edhe pasojat.

51

Laurenti: Unë jam ambasadori i Perandorisë së Romës. Ti nuk mund as të më prekësh me dorë, jo më të më arrestosh. Kjo ka për t'u trajtuar si sulm kundër Romës. Nuk ka për t'u toleruar!

Ushtari ilir: Gjuha jote është më e mprehtë se shpata ime. Ti ke poshtëruar mbretëreshën tonë para tërë burrave të oborrit. Ti ke poshtëruar tërë ushtarët ilirë kur i quajte vjedhës e barbarë. Këtë që bëre do ta paguash me jetën tënde.

Laurenti: (*Shqetësohet deri në kulm*). Nëqoftëse quhet gabim sjellja e mesazhit nga Roma që "Iliria duhet të ndalojë sulmet ndaj trupave dhe anijeve romake", atëherë jam dënuar pa arsye dhe pa të drejtë. Përsëri po e them, e deklaroj që s'kam bërë asgjë të keqe, veçse kam përcjellë mesazhin e Perandorit. Lajmësi nuk vritet.

Ushtari ilir: Nëqoftëse duhet të të ekzekutoj ty që ke poshtëruar mbretëreshën, atëhere edhe unë s'po bëj gjë tjetër veçse po zbatoj urdhërat.

(*Ushtari ilir e godet Laurentin me shpatë, të dy duke dalë jashtë skenës. Flakadanët zbehen, ndërsa skena erret*).

Skena e tetë

Flakadanët ndriçojnë të njëjtën skenë. Mbretëreshë Teuta është e ulur në fron dhe para saj qëndrojnë princat dhe komandantët ilirë të veshur me uniformat e luftës.

Ardiani:	Rroftë mbretëresha jonë! Sapo kam sjellë lajmin e fitores. Qyteti i Butrintit është çliruar më në fund. Ushtarët etolë kanë ikur nga qyteti nga sytë këmbët. Populli po vallëzon nëpër rrugë. Të tjerë këndojnë e qajnë nga gëzimi. Njerzit e thjeshtë u hedhin lule ushtarëve tanë dhe shumë prej tyre puthin shpatat tona.
Teuta:	Ti po më sjell një lajm shumë të mirë, zotni! Ashtu si Butrintin, do të çlirojmë krejt tokat ilire që vuajnë nën pushtim. Ilirët do të jenë të lirë përsëri, ashtu siç kanë edhe emnin "I-lir"!
Enkeleu:	*(hyn në skenë i plagosur)* Respektet e mia për mbretëreshën tonë! Po sjell lajmin nga fushëbeteja. Qyteti i Apollonisë është në duart tona. Tani kemi rrethuar edhe Epidamnusin. Jam kthyer në kështjellë sepse jam goditur keq në shpatull nga shpata e armikut. Nuk po mundem të luftoj siç duhet.
Teuta:	Bëni kujdes që komandant Enkeleu të mjekohet sa më parë. Ai nuk duhet të vdesë nga plagët e marra. *(Dy ushtarë ilirë e shtrijnë me kujdes në një shtrat të lëvizshëm të drunjtë, të cilin e vënë mbi supe dhe dalin jashtë skenës.)*

Ardiani: Ne jemi fitimtarë! Perandor Cezari ka mbushur detin me anijet e veta dhe ushtarët romakë kanë nxirë tokën deri në vijën e horizontit, aty ku puthen toka me qiellin.

Teuta: Kemi për t'u dalë përballë dhe do t'i shkatërrojmë. Ata që do të mbeten gjallë do të kthehen në Romë për të dhënë lajmin e forcës ilire dhe pavarësisë që kemi arritur me aq gjak.

Ardiani: Po qarkullon lajmi se Roma është shumë e zemëruar me vrasjen e ambasadorit të vet, Laurentit. Rojet tona e kanë nën mbikqyrje ushtarin ilir që e vrau Laurentin dhe po e vëzhgojnë pa ndërprerje.

Teuta: Ma sill atë ushtar këtu! Mendoj që vrasja e lajmësit të Romës ishte një komplot i kurdisur nga vetë romakët. Ata kanë një plan djallëzor për të gjetur një shkak, që ta pushtojnë atdheun tonë.

(Ushtari ilir që vrau Laurentin hyn në skenë. Duart e tij janë të lidhura mbrapa.)

Ushtari ilir: Pse jam i lidhur si një kriminel i zakonshëm? *(Ngre kokën dhe shikon Teutën në sy.)* Unë jam besniku juaj, mbretëreshë! Nuk po marr vesh, pse po mbahem i lidhur në një kohë kur mbrojta nderin tuaj?!

Teuta: Pra, ti je ai ushtari që vrau ambasadorin e Romës për fjalët e ndyra që ai tha kundër Ilirisë dhe kundër meje?!

Ushtari ilir: Po, mbretëresha ime. Unë jam. Këtu para teje!

Teuta: A mund t'më thuash arsyen e vërtetë pse e vrave? Kush të dha urdhër për këtë gjë?

Ushtari ilir: Unë e dëgjova me veshët e mi kur po ju poshtëronte me fjalët e pista që po thoshte.

Teuta: Ai ishte ambasadori i Romës. Për këtë arsye ai ish i paprekshëm.

Ushtari ilir: Kështu po thoni ju!

Teuta: Ti e vrave duke u mbështetë në gjykimin tënd personal apo dikush tjetër të dha urdhër t'a vrasësh?

Ushtari ilir: Mendova se po bëja një gjë të drejtë. U ndjeva shumë keq kur po sillej me ju në atë mënyrë.

Teuta:	Sa të kanë paguar për të vrarë Laurentin? Trego!
Ushtari ilir:	Atë që bëra, e bëra për të treguar besnikërinë time ndaj jush, e dashur mbretëreshë! E bëra për ju dhe për Ilirinë!
Teuta:	Ke bërë një krim shumë të madh e për kët veprim e tërë Iliria ka për t'u përballur së shpejti me sulmin e Romës. Po urdhëroj rojet që të rrish në pranga dhe të mos dalësh më nga burgu, për sa kohë që merr frymë.
Ushtari ilir:	(Ulet në gjunjë dhe i puth këmbët mbretëreshës.) Të lutem, më fal mbretëresha ime! Atë që bëra, e kreva për nderin tënd. Nëqoftëse kam bërë gabim, më mirë më nis në luftë sesa në burg. Atje kam mundësi të vdes me nder duke mbrojtur atdheun tim dhe fronin.
Teuta:	Po më tregove se kush të dha urdhër për të kryer këtë vrasje, ka mundësi që ta pakësoj dënimin e të të çoj në fushëbetejë.
Ushtari ilir:	(*duke rënkuar*) Ishte Dhimitri. Ai më tha se ambasadori romak të kish poshtëruar dhe se "ishte detyrë e të gjithë ushtarëve ilirë për të bërë që Laurenti ta shpagonte me jetë këtë poshtërim!"
Teuta:	Ah, prap po dëgjoj emrin e Dhimitrit. Ardian, çfarë po mendon? A thua ka gisht Dhimitri në këtë vrasje?!
Ardiani:	Eshtë po ky ushtar që ka përhapur fjalë se Shkëlqesa juaj ka vrarë mbretin.
Ushtari ilir:	(*shqetësohet*) Kjo është gënjeshtër, Shkëlqesa juaj! Asnjëherë nuk kam thënë ndonjë gjë që kam parë në dhomën tënde të gjumit. Ju betohem në zotat dhe perënditë e Ilirisë, që nuk kam treguar asgjë nga ato që kam parë.
Teuta:	Atëhere është Dhimitri ai që llomotit se si vdiq mbreti Agron! Më thuaj, a përmendi ndonjë gjë Dhimitri rreth vdekjes së Agronit?
Ushtari ilir:	Po, ai ishte i pari që e përmendi një gjë të tillë. Ishte ai që tha se "varej nga ne, burrat e Ilirisë, që të ngrihemi kundër atyre duarve me gjak që kanë zaptuar pushtetin". Ai tha se "ushtarët tanë duhet të ngrejnë krye dhe t'i bashkohen

forcave romake që ta rrëzojnë nga froni Shkëlqesën tuaj! Unë s'bëra gjë tjetër veçse e dëgjova në qetësi, ndërsa ai fliste.

Teuta: Nuk është krim të dëgjosh atë që thuhet, por ti duhej të kishe ardhur që të rrëfeje rrezikun që më kanoset në vetë rradhët e ushtrisë sonë. Për këtë dëshmi po të fal dënimin. Shko ushtar! Ik në shtëpi e fli i qetë. Shumë shpejt të gjithë do të shkojmë në luftë. Do ta heq parzmoren nga gjoksi e do ta vesh nesër në fushën e betejës. Cezar Augusti po vjen. Duhet të përgatitemi sa më mirë që ta ndalim marshin e tij vdekjeprurës.

(Ushtari ilir përkulet para saj dhe del nga skena).

Ushtari ilir: Rroftë Mbretëreshë Teuta e Ilirisë.

(Mbretëreshë Teuta e përshëndet me dorë).

SKENA E NËNTË

Një qeli burgu në kështjellë. Triteuta është e burgosur. Një roje e ruan dhe s'ia heq sytë. Bubullimat e një stuhie dëgjohen gjithnjë e më tepër.

Triteuta: Çfarë drejtësie është kjo? Burgoset një nënë faji i së cilës është vetëm e vetëm se donte të kishte në krahët e saj djalin që i kishte bërë kokën. Jam burgosur këtu vetëm për këtë gjë, në këtë vrimë plot lagështirë. Kam përpara ca thërrime buke dhe pak ujë të ndotur. Kjo është hakmarrja e Teutës, mbretëreshës vrasëse të Ilirisë.

Roja: Mjaft! Ishe ti ajo qe deshe ta merrje peng princin e ri nga krahët e nënës së vet. Tash paguaj për krimin që ke bërë duke ndenjur në këtë hale. Ke për të vdekur ngadalë, aq ngadalë sa askush s'ka për t'a marrë vesh, porsi një lule e bukur e burgosur në një vazo bosh.

Triteuta: Edhe ti ke për t'u qelbur këtu bashkë me mua.

Roja: Unë jam i lirë, mund të iki e të vij sa herë të dua. Po mua më pëlqen të qëndroj. (*Ia prek flokët qëllimisht*). Kam qejf t'a shoh këtë lule të bukur të vyshket ngadalë.

Triteuta: Larg ato duar të palara nga unë. (*Ecën mbrapsht. Ai tallet dhe e ndjek ngadalë.*) Unë jam nëna e Pimit, princit, trashëgimtar i fronit, birit të Agronit. Ti nuk më prek dot.

Roja: Po ku është ky princi, djali i Agronit? Pse nuk vjen ta shpëtojë nënën e vet?

Triteuta: Ai nuk e di që jam këtu. Po ta marrë vesh, vjen menjëherë.

Roja:	Nuk ka për të ardhur. Askush nuk ka për të ardhur që të të shpëtojë ty. Ai që ti mendon se do të vijë më dha si shpërblim këtë kuti përplot me monedha floriri, që të të ruaj ty me shumë kujdes. E falenderoj Dhimitrin për këtë dhuratë të çmuar, por unë ta jap ty nëqoftëse ti fle një natë me mua. Jam i vetmuar dhe është një përgjegjësi shumë e madhe të ruash një thesar si ty, pa e shijuar vetë më së pari. Hiqi rrobat dhe fli me mua!
Triteuta:	Më mirë vdes sesa të lë trupin tim të ndyhet nga ty.
Roja:	Nuk ke rrugë tjetër. Nuk ka për të të dëgjuar askush. Merri florinjtë dhe ec me mua.
Triteuta:	A the që Dhimitri të pagoi për të më ruajtur mua?
Roja:	Po të mos ishte ai, ti do kishe vdekur me kohë! Ajo s'do të të shohë më afër djalit të saj.
Triteuta:	(*ulet në gjunjë dhe qan në dëshpërim*) Zoti im Hyllus, shpëtimtari i Ilirisë! Po të thërres për ndihmë! Më shpëto nga ky rrezik. Unë jam nëna e trashëgimtarit tënd.

(*Ndërsa roja kap Triteutën, ndjen se diçka po lëviz. Ndalon menjëherë sapo vëren Dhimitrin*).

Dhimitri:	Po të paralajmëroj krijesë e mallkuar, po e preke do të vritesh.
Roja:	(*shmanget i frikësuar*)
Dhimitri:	Që ta marrësh vesh, kjo grua është nëna e trashëgimtarit dhe ti nuk je i përshtatshëm që të thithësh të njëjtin ajër që ajo thith. Ik tani! Qërohu!
Roja:	Kjo që po ndodh është e pabesueshme. Nuk më kanë zënë sytë ndonjëherë ndonjë princ të vijë deri në qeli.

(*Kthehet dhe ia mbath me vrap nga skena. Triteuta bie në gjunjë para Dhimitrit*).

Triteuta:	Dashuria ime, princi im! Mendova se ti ishe larguar përgjithnjë nga jeta ime dhe më le vetëm të vdisja këtu. E si mund të vdes në këtë mënyrë? Më çliro e më dërgo mbrapsht andej nga më more. Ah ajo ditë e mallkuar. Më kthe mbrapsht. Ti më detyrohesh. Dua ta marr

edhe Pimin me vete.

Dhimitri: Ki durim, ti do të bëhesh mbretëreshë një ditë. Me Pimin në krahun tënd.

Triteuta: E si mund të ndodhë kjo? Teuta është mbretëresha dhe Pimi ka shkuar me të.. Pa të unë nuk kam vend në mbretëri.

Dhimitri: Më dëgjo mirë! Ti do të martohesh me mua dhe të dy së bashku do të mbretërojmë derisa Pimi të arrijë moshën.

Triteuta: E thua ti këtë, por unë nuk e besoj. Ajo është më e fuqishme se të gjithë ne së bashku. Po si mund të luftojmë ne kundër Teutës?

Dhimitri: Me ndihmën e Romës! Unë po të them që së shpejti ajo do të rrëzohet dhe ti do të jesh në krahun tim.

Triteuta: Të gjithë ilirët do të ngrihen kundër nesh. Ata janë besnikë të Teutës.

Dhimitri: Ka për të ndodhur ajo që thashë! Ky veprim ka për të shpëtuar fronin nga duart e saj.

Triteuta: Nuk më besohet që do të udhëheqim Ilirinë një ditë. Nuk e kuptoj se si romakët do të na ndihmojnë që të marrim fronin. Si është e mundur që armiku "të ndihmon", që të çlirohesh nga Teuta?

Dhimitri: (*me pamje fajtori*) Nuk do të jenë romakët ata që do të më sigurojnë fronin. Dora dhe shpata ime janë ato që më udhëheqin drejt asaj dite të lavdishme, kur unë do të ulem në fronin e Ilirisë si mbret.

Triteuta: Ti do të ulesh në fron si burri i nënës së Pimit apo jo? Sepse vetëm Pimi është trashëgimtari i vërtetë i fronit. Dhimitër, a është kjo ajo që do të thuash?

(*Dhimitri i shmanget përgjigjes. Ndërkohë katër roje ilire sjellin të lidhura këmbë e duar me zinxhirë tre zanat, Flokëverdhën, Flokëzezën dhe tullacen. Njëri nga ushtarët ilirë e shtyn me forcë njërën nga vajzat, e cila rrëzohet përdhe.*)

Ushtari ilir: Ecni përpara, shtriga! (*U ulëret atyre. Flakadanët shuhen ngadalë. Skena erret.*)

59

SKENA E DHJETË

Një çadër lufte është e ngritur në qendër të skenës. Santumalus dhe Alvinus, komandantët e Ushtrisë së Romës diskutojnë strategjinë e luftës, ndërsa janë të përqëndruar në një hartë fushore të hapur mbi tavolinë.

Santumalus: Gjithçka ka shkuar në rregull. Ushtarët tanë kanë marshuar mespërmes rajonit nga veriu në jug dhe nga lindja në perëndim. Tani trupat tona janë të stacionuara këtu, këtu... dhe këtu! (*Tregon me një shkop të drunjtë në drejtim të hartës. Këta lumenj këtu janë kthyer në ngjyrë të kuqe nga gjaku i atyre që rezistuan. Shumë shpejt do ta kemi të gjithë Ilirinë nën kontroll. Mbretëresha krenare e piratëve do të dorëzohet dhe do të na kërkojë mëshirë).*

Alvinus: Nuk është aq e lehtë sa kujton ti që mbretëresha e hekurt të dorëzohet. Ajo është shumë trime. Eshtë një çmenduri e pashoqe të përballosh perandorin tonë. Eshtë diçka shumë kurajoze.

Santumalus: Ishte merita edhe e Dhimitrit që na dorëzoi disa toka, madje pa derdhur as edhe një pikë gjaku. Ia kemi borxh pushtimin e Epirit. Ai i tërhoqi forcat dhe nuk bëri asnjë qëndresë.

Alvinus: Kemi në dorë ishullin e Farit, për shkak të tij. Duhet t'i bëjmë një letër Perandorit që ta shpërblejë Dhimitrin me fronin e Ilirisë. Ka për të qenë një mbretëri kukull dhe më e pakta ka për të rënë rezistenca e armatosur ndaj pushtimit romak, kur të shohin që në fron do të ulet një princ ilir. Ai ka për të bërë çfarë t'i thotë Roma dhe kontrolli faktikisht do të jetë në duart tona.

Santumalus: Mbretëresha nuk ka për t'u dorëzuar lehtë. Ushtarët tanë kanë arritur deri në Gjirin e Leshit dhe janë shumë afër fortesës së fundit të ushtrisë ilire, por mbretëresha ende nuk është dorëzuar.

Alvinus: Ilirët janë popull trim. Eshtë e paimagjinueshme që ata i bënë ballë forcës së ushtrisë romake. Kemi humbur me qindra, Santumalus! A e mban mend në akademi, ku kemi studiuar betejat e Etruskëve kundër Romës? Mendohet që janë nga i njëjti trung, si ilirët ashtu edhe etruskët. Ata u mundën, por ngriheshin prapë nga hiri si feniksi dhe na sulmonin herë pas here, derisa i zhdukëm. A e di që edhe unë kam prejardhje ilire? Kam gjak ilir në damarë dhe besoj që kam ende kushurinj në këto anë. Disa nga komandantët më të shquar të Romës kanë prejardhje ilire.

Santumalus: Edhe unë! Por tani le të përcaktojmë strategjinë se si do të mundim mbretëreshën e piratëve!

(Të dy i ngulin sytë hartës, ku duket bregu perëndimor i Ilirisë. Papritur në skenë hyn një korrier i plagosur).

Korrieri: Komandantë, sapo erdha nga fusha e betejës. Rashë në pritë dhe u plagosa.

Santumalus: Çfarë lajmi po na sjell, ushtar?

Korrieri: Tani do ta them, zotëri! Por së pari, para se të vdes, dua të lë amanetin e fundit. Kam gruan shtatzanë dhe dua që, nëqoftëse ajo lind djalë, t'i vihet emri "Agron" dhe nëse lind vajzë, t'i vihet emri "Teuta".

Santumalus: Ushtar, ti nuk ke për të vdekur, ti ke për të jetuar, që ta shohësh me sy fëmijën tënd.

Korrieri: Po unë po lë amanet në rast se vdes.

Alvinus: Ti do të jetosh, ushtar! Mos ki frikë! Tani na trego se çfarë lajmi na sjell.

Korrieri: Po ju sjell lajm nga Dhimitri. Ai po vjen që t'ju takojë...

62

(*Korrieri bie përdhe pa ndjenja dhe më në fund vdes. Dy zana shfaqen në të bardha dhe e marrin në krahët e tyre duke dalë nga skena.*)

Kori i zanave: Eja, burrë trim i luftës. Eshtë koha për t'u nisur për në udhëtimin e fundit.

(*Dhimitri hyn në skenë*)

Santumalus: Ah, pa shih, ja ku qenka Dhimitri. Mirësevini, or mik i Romës. Ju përshëndesim me fjalët më të përzemërta dhe ju urojmë shëndet e begati. Çfarë lajmi po na sjell nga Iliria?

Dhimitri: Komandantë legjendarë të Romës, përshëndetje! Ju shtrëngoj duart si burra të nderuar që jeni. Ju më premtuat se nuk do ta shkatërronit ishullin e Farit, nëse e dorëzoja dhe Ju e mbajtët fjalën.

Alvinus: Perandori dëshiron të të bëjë një dhuratë për ndihmën që i ke dhënë Romës, duke të dhënë kontrollin e ishullit Faros dhe më pas, ku i dihet, mbase të jep të gjithë mbretërinë e Ilirisë. Natyrisht, e asaj që ka mbetur pas djegies. Tani duhet të përgatitemi për propozimin që do të bëjë Teuta për nënshkrimin e paqes. Por do të ketë kushte shtesë për kapitullimin e saj. Kushte akoma më të rënda se ato që ajo kundërshtoi, kur dërguam ambasadorin. Tani ajo s'ka rrugë tjetër, veçse të bindet.

Dhimitri: Një mijë fjalë të ëmbla për ju dhe për Romën që po më shpërblen në këtë mënyrë. I jam shumë mirënjohës Perandorit! Juve gjithashtu! Kam dëgjuar se mbretëresha ka ardhur deri këtu. Ku po mbahet ajo?

Santumalus: Teuta erdhi në breg e shoqëruar nga ushtarët e vet. Iu dorëzua njërit prej komandantëve tanë dhe së shpejti do të kemi fatin ta shohim.

Dhimitri: Më duhet të iki para se të arrijë ajo këtu. Ka për të më akuzuar se kam tradhtuar atë dhe të gjithë Ilirinë. Ka për të më poshtëruar në sy të të gjithëve. Eshtë më mirë të mos rri këtu. Tradhtarët dënohen me vdekje ose me turp.

Santumalus:	E dimë që është një mbretëreshë pirate e pa shpirt, por që të jetë edhe e principeve, këtë nuk e dija. Rri këtu që të të shohë e ta marrë vesh se kush do të bëhet mbret i Ilirisë!
Alvinus:	Ja ku po vjen! (*Teuta hyn në skenë*). Mirësevini, mbretëreshë!
Teuta:	Ti nuk ke si të më urosh ardhjen në tokën time. Kjo hapësirë ku ju keni ngritur kampin tuaj është tokë ilire. (*shikon me përbuzje nga Dhimitri*). Pa shih kush na qenka në anën e pushtuesit!
Dhimitri:	Mbretëreshë...
Teuta:	Ti helmove Agronin. Ti hape fjalë se gjoja e kisha helmuar unë! Ti kurdise planin për të më marrë Pimin! Dhe në fund ti ia dhurove ishullin e Farit romakëve! Ptu! (*e pështyn*)
Dhimitri:	Dhe në fund, unë jam fituesi! (*Fshin pështymën*)
Teuta:	Shumë shpejt do të vijë fundi edhe ty! Do të të shtrydhin si limon dhe pastaj do të të flakin tutje!
Dhimitri:	Atë do ta shohim!
Santumalus:	Mbretëreshë, më duhet të ndërhyj. Ka një fitues dhe një humbës në betejë. Sot ti je humbësja. Të kemi sjellë dokumentin e kapitullimit, që ta firmosësh.
Teuta:	Nuk kam për të nënshkruar asnjë lloj kapitullimi. Do të vazhdoj luftën gjer në frymën e fundit.
Santumalus:	Mbretëreshë Teuta, kam marrë urdhër nga Perandori që t'ju ofroj respektin dhe konsideratën e tij më të lartë. Ju do të vazhdoni të mbretëroni dhe të mbani titullin e mbretëreshës nëse nënshkruani këtë marrëveshje. Do të keni të drejtë për rojen tuaj personale si dhe një anije ushtarake, e cila do të ketë lëvizje të kufizuar në gjirin e Leshit.
Teuta:	Unë nuk e njoh fare autoritetin e Romës. Ushtarët romakë janë pushtues dhe e kanë zaptuar tokën tonë me forcë. Kurrë s'kemi rënë dakort për qëndrimin tuaj këtu.
Santumalus:	Eshtë në të drejtën tonë të emrëojmë një mbret të ri në vend të Agronit dhe ky mbret do të jetë Dhimitri.
Teuta:	Nuk është në dorën e pushtuesit romak që të vendosë

fatin e fronit të Ilirisë. Ky është një vendim që merret vetëm nga trashëgimtari i fronit.

Santumalus: Duhet ta pranoj që unë jam ilir nga nëna. Komandanti tjetër është Alvinus. Të dy ne jemi me origjinë ilire.

Teuta: Edhe pse keni origjinë ilire, ju jeni prapë pushtues, sepse keni vrarë popullin tuaj nën urdhërat brutale të Romës.

Santumalus: Në rregull, e morëm vesh! Tani duhet të heqësh dorë nga Iliria dhe të japësh dëmshpërblime për piracinë, që kanë ushtruar tregtarët tuaj.

Teuta: S'kam për të nënshkruar asnjë dokument që i jep Romës kontroll mbi Ilirinë. Unë nuk i përkulem Romës.

Santumalus: Duhet të biesh dakord që t'i japësh kontrollin Romës. Nuk ka zgjidhje tjetër. Në këmbim do të kesh kontrollin e Issas.

Teuta: Do ta konsideroj si ofertë, nëqoftse kam të drejtë me vozitë një anije, nëse më jepet ishulli i Isës dhe nëse kam në krah djalin tim Pimin.

Santumalus: Pimi do t'i kthehet nënës së tij të vërtetë, Triteutës dhe si princ i Ilirisë, ai është trashëgimtari i vetëm i fronit.

Teuta: Po e nënshkruaj marrëveshjen vetëm që të ndaloj gjakderdhjen. Por e marr një vendim të tillë me zemër të thyer. Dhimitër, tradhëtar dhe uzurpator, tani është rradha jote të veprosh ashtu siç të thotë shpirti yt djallëzor. U mallkofsh në breza për tradhëtinë që ke bërë ndaj mbretëreshës dhe atdheut.

Dhimitri: (*Kruan zërin.*) Do të kujdesem që të mos preket asnjë fije floku e juaja, Teuta!

Teuta: Mos ma përmend emrin se ma ndyn!

Santumalus: Atëherë le ta nënshkruajmë marrëveshjen.

(*Teuta ulet pa qejf në tavolinë dhe së bashku me Santumalus nënshkruajnë marrëveshjen.*)

Santumalus: Iliria nuk ka humbur asgjë me këtë marrëveshje. Iliria është përsëri mbretëri.

Teuta: Iliria është mbretëri, por pa mbretëreshën e vet. Po shkoj te djali im Pimi.

(*Teuta del nga skena.*)

EPILOGU

Teuta dergjet e shtrirë në shtrat në ishullin e Issas. Është duke vdekur, ndërsa Pimi kujdeset për të. Përpiqet ta qetësojë, por ajo duket shumë e trishtuar.

Teuta: Po ndjej se po më vjen fundi, biri im! Tani duhet të vësh mbi krye kurorën e Ilirisë.

Pimi: Oh, nëna ime! Dua që të jesh e lumtur. Nëqoftëse unë bëhem mbret i Ilirisë, ti prapë do të respektohesh si nënë mbretëreshë. Ka për të qenë njësoj si atëherë kur isha fëmijë.

Teuta: Shko, bir! Unë do të ndjehem rehat kur të përzëmë tradhtarët nga kështjella dhe kur të rindërtojmë Ilirinë edhe një herë nga e para. Uroj që zotat të ecin në një hap me ty drejt së ardhmes.

Pimi: Po shkoj të vë fjalën tënde në vend. Ti ke aq shumë adhurues e përkrahës sa nuk ta merr mendja. Ata të urojnë të gjitha të mirat dhe janë gati të rrëmbejnë armët.

Teuta: (*E puth në ballë, ndërsa Pimi ulet në gjunjë*). Uroj që zanat të kenë kujdes për ty gjatë gjithë jetës tënde. Ta dish që zemra ime do të jetë gjithmonë me ty, kurdo që të kesh nevojë për të.

Pimi: Do ta përzë Triteutën dhe burrin e saj tradhëtar nga kështjella. Ata që ulen sot në fronin e Ilirisë nuk janë udhëheqësit e vërtetë të popullit, por veçse kukulla të

	Romës. Iliria po lutet që të dalë sa ma parë nga kjo gjendje.
Teuta:	Je kaq i ri por zëni yt tingëllon me kaq vendosmëri dhe shpresë. Ka shpresë për Ilirinë.
	(*Pimi del.*)
Teuta:	Nuk dua të vdes para se djali të kthehet nga lufta me fitore. Atëhere do të kthehem në kështjellë që të vdes. Oh, pa shih, zanat po vijnë prapë. S'e di se çfarë duan prej meje. A mos kanë ardhur të më marrin shpirtin?
	(*Kori i zanave hyn në skenë*).
Kori:	Tani ka ardhur rradha jote që të shkosh, Teutë! Duhet të vish me ne.
Teuta:	Dua të jetoj deri atë ditë sa ta shoh Pimin në fron. Atëherë kam për t'u larguar.
Kori:	Na dëgjo ne! Ne e dimë se çfarë do të ndodhë. Djali yt ka për ta humbur betejën, por ka për të shpëtuar nga vdekja në saje të ndërhyrjes së Triteutës, nënës së tij natyrale.
Teuta:	Kjo që po thoni po më dhemb. Dhe tani që e di më duhet të largohem. Por prisni një herë, ju marrtë e mira! Më lini të vishem me rroba të mira për udhtimin tim të fundit.
Kori:	Nuk të duhen rrobat e mira atje ku do shkosh!
Teuta:	Do të vendos edhe një herë kurorën në kokë, diamantet në gishtërinj dhe do të vesh patjetër fustanet më të mira. Do të largohem ashtu siç më ka hije mua, Mbretëreshës së Ilirisë.
	(*Kori e shoqëron Teutën, ndërsa ajo lë skenën. Flakadanët veniten.*)
Kori:	Mbretëreshë Teuta e Ilirisë u nis drejt stacionit të fundit. Nga humbja ajo ringrihet me fitore. Nga vdekja po shkon drejt pavdekësisë. Njerëzimi nuk ka për ta harruar këtë mbretëreshë trime dhe të fortë. Lavdi Mbretëreshës! Lavdi!
	(*Dalin nga skena*).

Fund